JN070503

大隅紀和／著
Norikazu Osumi

子どもたちに
明るい未来と
豊かな人生を

未来の
イノベータを育てる
STEM（ステム）教育

わたしが箴言(しんげん)として肝に銘じているのは、
「学習、秘められた宝」（learning: the treasure within）

これはユネスコ21世紀教育国際委員会が刊行した報告書の表題で、
委員長のジャック・ドロール（フランス、元大蔵大臣）が、
ラ・フォンテーヌの寓話「農夫とその子どもたち」の一つから使ったもの

(日本語訳は、天城 勲による)

アセアン地図

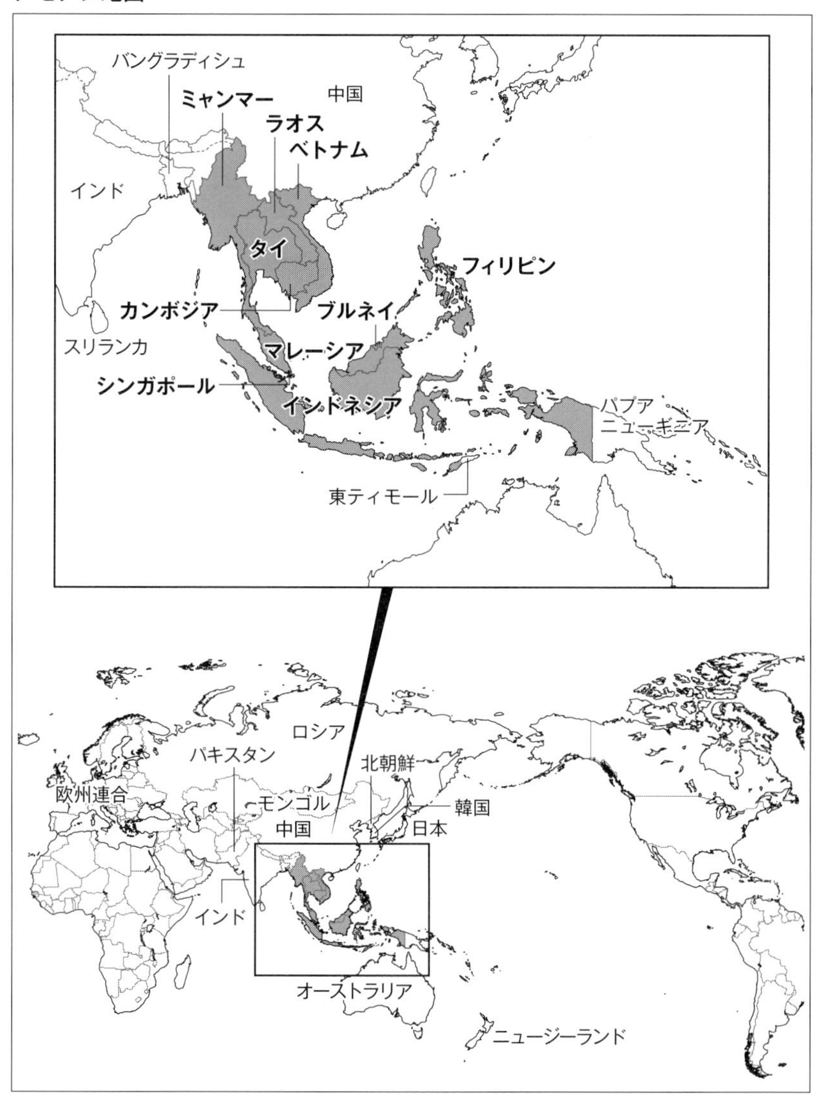

バングラディシュ
ミャンマー
中国
ラオス
ベトナム
インド
タイ
フィリピン
カンボジア
ブルネイ
スリランカ
マレーシア
シンガポール
インドネシア
パプア
ニューギニア
東ティモール
ロシア
パキスタン
北朝鮮
欧州連合
モンゴル
韓国
中国
日本
インド
オーストラリア
ニュージーランド

UNESCO-SEAMEOのSTEM教育センター元代表からのメッセージ

親愛なるプロフェサーおおすみ

あなたが私たちタイの先生を対象に、素晴らしいワークショップを実施されたことに対して、心から感謝しています。参加した学校からは、既に多くのポジティブな反応が寄せられています。「パワーアップ」プロジェクトのチームから聞いています。（中略）

このプロジェクトの実施に、これまで献身的な支援をしていただき、お礼申し上げます。近いうちに、再びあなたと仕事ができることを楽しみにしています。

敬具

東南アジア文部大臣機構・STEM教育センター元代表
ポンパン・ワイタヤンコン博士

Dear Prof Osumi,

Let me thank you a thousand times for your excellent workshop delivered to our Thai teachers. I heard a lot of very positive feedback from our team, they voiced the same thing I am sharing with you.

Once again, thank you very much for your kindest support and dedication on this project. Look forward to working with you in the near future.

Best regards,

Pornpun Waitayangkoon, Ph.D.
Centre Director
Southeast Asian Ministers of Education Organization
Regional Centre for STEM Education (SEAMEO STEM-ED)

2022年４月２日付筆者（大隅）宛、STEM教育センター元代表のメール・レター

謝辞

本書を書くことができたのは、長い間にわたって多くの方々の温かいご協力とご支援をいただいてきたことによるものです。

心からの感謝とともに、本書を捧げます。 〈順不同、敬称略〉

中辻沢蔵、佐々木申二、清水　栄、荻原真二、益富壽之助、大橋秀雄、板倉聖宣、豊田三千代、小森光子、木田　宏、末武国弘、橋本康二、森山　茂、小堀善弘、黒崎貞治郎（梅木三郎）、亀田佳子、佐谷光保、千葉杲弘、渡辺　良、木戸　一、大槻達也、菅野　琴、篠原文陽児、安田　滋、水越敏行、菅井勝雄、村田翼夫、内海成治、日浦賢一、香野俊一、澤村信英、山川信晃、杉本恭子、杉原和男、浅井和行、佐々木真理、勝藤和子、奥野直正、梅本仁夫、伊藤裕宣、藤原　清、白石　伯、早坂　稔、松森孝夫、柳沢真孝、中村久良、中村友香、河合直路、渡辺泰樹、菊田悠司、青井諄治、青井哲也、前島孝司、中野佳昭、坂田俊明、今野公博、山岡武邦、遠松竜一、パットソーン、魏明通、葉韻綺

フィリピン大学UP、デリマン校

ドロレス・フェルナンデス、ジョセフィーナ・パベロン、ミリザ・ロメロ、アメリア・ファルド、NISMED（国立理科数学教育開発研究所）のみなさん

アユタヤ地域総合大学ARU

ブラパティット、カセム、ナッパワン、ワチラ、ジュラサック、ウィモンパン、チョンコル、チャヤプレック、クリサナ、クロンテップ、ユピン
科学技術学部のみなさん

ラヨンKVIS（サイエンス・アカデミー）／バンコクIPST研究所

ニダ・シャピエンチャイ、トンチャイ・シュプレッチャ、プルムアン、ポンチャイ、パット、ラビワン、ナロン、スルヤ、サマート、アピシット、チャンタナ、KVISとIPST研究所のみなさん

バンコクSTEM教育センター

ポンパン、スチャラット、サリット、ブリン、「パワーアップ」チームのみなさん

まえがきにかえて

保護者のみなさん、先生方や教育関係者の方たちへ
そして、教職を目指す若い世代の人たちへ

私たちの子どもや孫は、もはや国内で日本人との関わりだけで人生を過ごすことはできません。海外で活躍するか、国内で仕事をするか、いずれにしても外国の人たちとともに生きていくことになるでしょう。

本書は、日本でも話題になっている新しい科学教育の「STEM(ステム)教育」について、筆者がタイとアセアン10カ国向けに取り組んできた事例を紹介しています。私は既に国内の大学を定年退職しましたが、コロナ禍で飛行機が飛ばない時期にも、これらの国の学校の先生たちとオンラインで「STEM教育」の推進に取り組んできました。

本書で紹介している内容には、つぎの特徴があります。

⑴自分の手を動かして操作する、素朴な道具を使っています。

①T-Gem(ティジェム)（タイ製の手まわし発電機）、②手でコイル巻きする巻線機ジョイ、③手振り発電パイプなどです。

どれも自分の手を動かして使うモノです。

手を動かせば、頭脳も心も動きます。これらのモノは、スマホやタブレットを指先だけで扱うことに慣れた私たち、そして子どもたちの頭脳と心を活性化してくれるに違いありません。

⑵多くの実験と観察、そして制作活動を紹介しています。

材料の揃え方から実験の方法、観察の結果まで、丁寧に書いています。

それらは、読者の方が実際に実験している感覚になっていただけるよう

に書き方を工夫しました。手を汚さない実験を「ドライ・ラボ」と言いますが、ドライ・ラボを体験していただけるように心がけました。

まずは、大人や先生たちが体験し、興味を持つことが、子どもたちに有意義な教育を与えるための第一歩となります。本書がその一助となれば幸いです。

大隅紀和

プロローグ

２歳になる孫は私の家に来ると、車の荷物の中からソフトボールくらいの球体を持ってくる。若い母親は、急いでタブレットをセットする。

彼が、たどたどしい口ぶりで「アレックス、“アンパンマン”かけて……」と言うと、たちまち部屋に「アンパンマン」の曲が流れ、おむつも取れない孫が、曲にあわせて踊りを披露する。

つぎに「アレックス、ママのおばあちゃんにテレビ電話して……」と命じる。すると、タブレットの画面に遠隔地に居住しているおばあさんが出てくる。私がカメラに向かうと、「いや、どうも、ご無沙汰しています」などと、たがいに頭をさげる。

どうやらアレックスというのは、球形のスマートスピーカーに内蔵されたアシスタントの名前のようである。球体にAI（人工頭脳）が仕込まれていて、それが判断してネットワークを操作する。幼い孫の声は、もう何度か命じられたAIが学習しているのだ。

――と、こんな光景は数年前まで想像もしなかった。

それは、わが家だけではない。また日本だけでもない。世界中で同時に、そして急速に進行している。

Amazon製のAIアシスタントは「Alexa（アレクサ）」。Google製は「Googleアシスタント」。Apple製は「Siri（シリ）」と呼ばれる。

もし「Siri」なら、私が60代の２年間、バンコクでアパート暮らしをしていた時、通ってくれたタイ人女性のお手伝いさんの名前ではないか。いま、そのアパートでアップルを使い、「Siri（シリ）さん」と命じたら、どうなることやら。

あと数年後には、どんな光景が実現しているのだろうか。

これから先、子どもたちはどのような世の中で学び、働き、暮らし、人生を過ごすことになるのだろうか。期待よりも漠然とした不安のほうが大きくなってくる。

「STEM教育」という言葉は、日本でも使われ始めている。これは科学(Science)、技術(Technology)、工学(Engineering)、そして数学(Mathematics)の頭文字を取ったもので、2000年を迎える頃から米国で起こってきた教育思潮であり、次第に世界に広がってきている。

日本でも新しい波に敏感な教育関係者や研究者が、時代の変化を先取りしようと早くから旗振りをしてきた。2010年に入ると教育関係者だけでなく、政界や産業界、経済界でもSTEM教育が必要だと言われるようになっている。

米国でSTEM教育の必要性が高まった背景は後で述べるが、ハイテク技術分野の人材不足に危機感を持った産業界と政財界、特に2001年から続いたジョージ・W・ブッシュ、それに2009年に就任したオバマの両大統領が具体的な施策の一部としてきた事情がある。

その間にSTEM教育はアート（Arts）を加え、STEAM教育だとも言われはじめている。歴史、文学、美術だけでなく、芸術やダンスなど広く身体表現活動なども含めようというわけである。

こうして走り始めた時代変化に乗り遅れまいとする関係者は次第に増え、日本国内の議論やイベントも盛んになってきている。もはや当初のSTEM教育の基本を慎重に検討し、地道な試みを実践する落ち着いた雰囲気ではない。各地でSTEM教育として実施される教育活動は、小規模ながら満開の花見のようにも見える。

タイの首都バンコクにユネスコのアジア太平洋地域教育事務所東南アジア文部大臣機構（SEAMEO）がある。ここに開設されているSTEM教育センターは、欧米の科学教育の専門家が名を連ねている。そのなかで、私はタイの国内向けだけではなくアセアン10カ国のSTEM教育推進プランを作成し、ワークショップを実施する立場として、彼らに伍して個性的で独創的な提案と実施を目指してきた。

この地域の先生たちを対象にSTEM教育のワークショップを企画し、実施するには、日本とは異なる国々の教育事情を十分に考えなくてはならない。アセアン地域の国のうちシンガポール、クアラルンプール、またバンコクやジャカルタなどの大都市で超のつく富裕層の子どもたちが通う恵まれた学校、そして各国の有力大学の附属校などを別とすれば、対象とする国の大多数の小中学校は、科学・技術の教育をするには極めて貧弱な状況である。

長く滞在して数多く協力活動を続けるなかで、その状況をつぶさに見てきている。しかも取り組もうとする事例は、その国にかぎらず国際的にも関心を持たれ広く注目をされている。この地域でSTEM教育を推進するには、なみなみならぬ覚悟をしなければならない。思いつきの一時的な取り組みは許されない。

私のチャレンジは、一部の恵まれた学校向けではない。大多数の貧弱な施設とわずかな機材しか持たない学校が対象である。それらの学校は基礎・基本の学習が最優先され、余計な取り組みをする余裕はない。

学習環境の不満足を抱える学校と、その状況に苦しんでいる多数の先生たちが相手である。だから、その不満足を逆手に取った発想ができるかどうか。魔法のようなミラクルを起こす構想と実践を目指さなくてはならない。

これには有力な「武器」、穏やかに言えば「アイテム」が必要になる。そこで、ぜひとも使いたいアイテムがタイ製の手まわし発電機、愛称「T-Gem（ティジェム）」である。

T-Gemとは、Thai made Generating Electricity and Motorの略称で、これには長い年月を費やして、遂にできあがったという意味から「タイの宝石」の意味も込めている。

T-Gemは、私が数えきれないほど滞在を続けてきたバンコクのIPST研究所（タイ国教育省・科学技術教育振興研究所）で長い年月を費やして研究し、試作し、ようやく「これなら！」と言える段階まで到達した手まわし発電機である。タイ国内はもとより、周辺のアセアンでも、もちろん日本でも世界でも堂々と使えると自負している。

このT-Gemが使えることによって、もはや日本製の手まわし発電機をタイやアセアンに持ち込んだり、輸入したりという従来のやり方をしなくてよい。日本製よりも優れた機能を持ったアイテムである。

本書は、SEAMEOのSTEM教育センターが実施したタイ国34校の小中学校の先生たち73人を対象とするSTEM教育推進のためのワークショップ「パワーアップ（Power Up）」プロジェクトをベースにしている。これは2022年３月に１カ月にわたって行ったもので、５日間で計30時間を超えるプログラムである。

私自身、最初から企画・構想に携わり、T-Gemを使って実施した「パワーアップ」プロジェクトには、ある程度の自信はあった。バンコクのプロジェクト・チームの協力を得て、参加した先生たちや学校から思わぬ好評を得ることができたのは望外の喜びであった。STEM教育センター元代表や関係者たちも、その反響を喜んでくれた。

この好評を得て、プロジェクトに見直しを加え、近いうちにラオスをはじめアセアン地域の国々で実施することが検討されている。

「パワーアップ」プロジェクトを実施するにあたっては、先生たちの新しい学びが日頃の教育活動の良き刺激になることに最も慎重な配慮をした。なぜなら子どもたちにも、また保護者にも、そして先生自身にとっても、学習の最大の目的は、目の前の子どもたちが学習意欲を高め、その成果としてテストでも良い成績を獲得すること、この点にある。

プロジェクトは、それに応えられるような効果的なSTEM教育でなくてはならない。そのためには、ワークショップに参加した先生たちが、その後の教育活動に自信を持ち、自分で新しい工夫を取り入れ、子どもたちの好奇心と興味を高めなくてはならない。それこそがSTEM教育の意義でもある。

日本と世界の子どもたちの未来が明るく、それぞれに豊かな人生になることを切望している。だからこそ、子どもたちが通う学校の先生たちこそ、教える喜びを持ち続けてほしい。先生たちが「教える楽しみ」を持つことが、子どもたちの「学ぶ喜び」につながるのだから。

さらに、子どもたちがその学ぶ喜びを知ることで、未来を背負うイノベータとして成長していってほしいと願っている。世界を変革させてきたイノベータたちも、最初は小さな一歩から取り組んだに違いない。子どもたちのそのようなきっかけとしてSTEM教育が役に立つなら、嬉しいかぎりである。

そんな思いを抱きながら取り組んだSTEM教育の実践が、本書の「パワーアップ」プロジェクトだった。

未来のイノベータを育てるSTEM（ステム）教育

Contents

1章 「電気」からはじめるSTEM教育

2章 T-Gemでイノベーションを起こす

T-Gem(ティジェム):タイ製手まわし発電機

3章 「パワーアップ」プロジェクトの準備と実施プラン

4章 一人ひとりに安全でハンディな発電機を

【プロジェクト１】手まわし発電機、T-Gem

5章
小さいモノは、大きくすれば素敵になる
【プロジェクト2】乾電池と豆電球の大型模型を作る

6章
想像をかき立て、新しい工夫を考える
【プロジェクト3】手振り発電パイプ

7章 ハミングしながらコイル巻きする～巻線機ジョイ

8章 「おもしろい、楽しい」に続く探求へ

9章 2つのコイル、2つのスマホ

10章 さまざまな基礎レベルの実験へ

11章 世界で未来のイノベータを育てる

12章
STEM教育の原点は日本にある

参考資料

装幀◉根本佐知子（梔図案室）
カバー裏表紙写真◉『LIFE』1997年秋号、米国・LIFE社
図表◉株式会社ウエイド

未来のイノベータを育てるSTEM（ステム）教育

1章

「電気」からはじめるSTEM教育

「電気」をテーマにする

電気が無くては、私たちの暮らしや仕事は成り立たない。

人類の進化とともに、電気も進化を遂げてきた。電気を使う科学技術は、先端的なエレクトロニクス分野と情報技術分野で急速に広がり、進展を続けている。

そう遠くない未来に、電気自動車が急速に普及すると思われる。ガソリンスタンドは対応を余儀なくされ、家庭には充電用の電源を備えることが普通となる時代がくるだろう。

しかし、いま私たちの多くは、まるで空気と同じように電気をとらえ、突然の停電でも起こらないかぎり特別に電気を意識することはない。それに私たち大人でも、電気を扱うことを苦手と感じることが多い。

電気をテーマとする時、それらが大きな障害となる。学校で理科の実験を教える多くの先生たちも例外ではない。先生たちが電気を扱うことを苦手とする傾向は、日本よりも実験の経験が少なく、機材不足が深刻なタイのほうがはるかに大きい。

だが、この最も苦手とされてきた題材を楽しく教えることができる方向に舵を取ることが、UNESCO－SEAMEOのSTEM教育専門家としての私の挑戦だった。なぜなら、苦手が克服できれば、ふだんの学習指導にも効果は波及する。厄介扱いしてきている題材をそのままにしていては、日頃の教育の革新はいつまでも先のばしになる。

人は一つ画期的な経験をすれば、それまでの苦手を克服できる。もちろんむずかしいことだが、いったん経験をすれば、その先はみずからの工夫で多くの取り組みを新しくすることができる。そのためにも、まずは先生がみずからイノベーションを経験する。それが目の前にいる子どもたちを「未来のイノベータとして育てる」ための鍵である。

STEM教育は、対象とする分野と題材がかぎりなく広く、たいていの話題を題材にすることができる。別の見方をすれば、何でもよいと割り切ることもできる。実際、日本国内のSTEM教育を実践している事例を見てもてんでばらばらで、つまるところ、実践者が自分の専門分野にかかわる話題や題材を扱っている。そのため結局は、規模の小さい試みの百花繚乱（ひゃっかりょうらん）という感がある。

これでは教育現場、学校は困惑する。先生たちは自分の担当教科の取り組みだけでも精一杯で毎日が忙しい。そこにSTEM教育が加わり、実情が「何でもあり」で指針もないのでは迷惑このうえない。これでは、やがて重視されなくなり、消滅していく。

これまでも、新しい教育の思潮が登場するたびに同じ事態が繰り返されてきた。しかし、STEM教育もいずれ同じことになるだろう、と高みの見物をしているわけにはいかない。新しい教育の思潮が起こった時、それを契機に貧弱な設備の学校で苦労している多数の先生たちの取り組みを支援し、抱えている悩みの解消を目指す。それが教育研究者の一人としての使命だと、みずから言い聞かせ続けてきた。

そこで今回、誰にとっても身近で生活に不可欠な「電気」をテーマに、「パワーアップ」プロジェクトを構想し実施することにした。電気は身近なのに多くの先生が苦手と感じている。これを楽しく学ぶこと。そうすれば、たとえばスマートフォン（スマホ）の普及に見られる科学技術の進展の理解と認識につながる。

未来のイノベータである子どもたちのSTEM教育の基本的な学習に「電気」は欠かせない。扱う題材が今日の暮らしと、これからの社会で発展するものである点で、電気こそSTEM教育で優先して扱うべき題材であると考えたのだった。

誰もがスマホを持ち歩く時代

電気をテーマにする。この決断のヒントの一つは、急速なスマホの普及だった。

スマホには先進の電気と通信技術が集約されている。技術の結晶であるスマホを誰もが手にし、いつもチャージ（充電）を気にしている。大人も子どもも毎日のように口にする「チャージ」は、電気の基本的な用語の一つだが、それと意識することなく、とっくにすべての人たちの日常の暮らしに浸透している。

さらにスマホの普及にあわせるかのように、人々はICカードを持つようになった。現金を持ち歩く機会は少なくなり、スマホによる電子決済が当たり前になった。

スマホを持つことで、いつでもどこでも電話ができ、代金の支払いもできる。駅の改札口では、チャージ済みのカードをかざすだけで通過できる。ケーブルやリード線をつなぐ必要はない。

日本では山間の過疎地の人たちでもスマホを持っている。大人だけではない。子どもや高齢者も常に持ち歩いている。では海外でも事情は同じかと言うと、じつは日本よりもはるかに進んでいる国がほとんどである。たとえばタイはじめ、ミャンマー、中国、ラオス、カンボジア、そしてマレーシアとの国境近くに暮らす人たちが、大都会バンコクで進む普及の波にあわせるように、とっくにスマホを手にしてきている。

従来のインフラである電話線を敷設するステップを飛び越えて、いきなり新技術を使う。これが、よく指摘されるリープフロッグ（馬跳び）といわれる社会現象である。

バンコクでは2004年に地下鉄（MRT）、2010年にスカイトレイン（BTS）が開通し、いずれも最初からコイン型のトークンの投げ入れやキャッシュレス・チケット・カードで現金を使わずに乗降できる。米国のボストンの地下鉄やサンフランシスコのバートと呼ばれる都市部の交通機関で早くから導入されていたシステムである。これらには、後で述べる電磁誘導の先端技術である無接点の非接触給電システムが使われている。

アジアの国々ではデジカメの普及も日本より早かったし、Wi-Fiも日本に先んじて普及し、どこでも使える状況が実現していた。この種の情報技術が早くから発展した背景には、携帯電話の料金が日本に比べ格段に安価なことも影響している。

タイなどの東南アジア地域だけではない。私が現地に出かけた南アフリカ、ケニア、タンザニアなどの首都や大都会を離れた奥地でも例外ではなかった。

先進的な技術レベルは、その元をたどれば子どもたちが小中学校の理科で学ぶ「電気」につながる。このことを、ぜひ先生にも子どもたちにも知ってほしい。

しかし、現実には教育の革新よりも社会の動きが早く、自分たちが身近に体験していることが教科書の内容となるには時間がかかる。たとえばLED電球が普及してきても、理科の教科書で扱われたのは2010年代の後半になってからだった。

筆者や先駆的な先生が1970年代から使っていた「ゼネコン」と呼ばれる手まわし発電機は、本書でも記述している題材である。それが理科の教科書に登場するのは、なんと2009年である[*1]。せめてSTEM教育の取り組

＊1　手まわし発電機「ゼネコン」の日本の理科教科書への登場は『ナリカ製品とともに読み解く理科室の100年』（中村友香、幻冬舎メディアコンサルティング、2017年）を参照。

みは、スピーディな社会変化に対応したものにしたい。

基礎レベルの電気実験が先進的なネットワークへつながる

21世紀もほぼ四半世紀が経過して、インターネットは巨木のように日々成長し、変化し続けている。

巨木は大きな根っこがあってこそ成長が続く。その根っこを掘り下げていくと、18世紀の多くの科学者たちに行き着く。なかでも検流計(Galvanometer)にその名を残すガルヴァーニが電気を発見し、電圧の単位のV(ボルト)に名を残すボルタが電池を発明し、電流の単位のA(アンペア)に名を残すアンペールたちが電気を利用し応用しはじめてきた経過がある。これらが「電気」の巨木の根っこである。

先駆的な科学者たちの取り組みから約200年が経過する。

今日では電子メールやウェブサイトは、電気やガスの供給と同じように社会基盤の一つになった。スマホが普及し、インターネットで離れた家族や知人、そして外国の取引先などと連絡を取り合い会議もする。世界中のニュースを知り、商品を購入し、旅の予約を済ませるなど、日々の暮らしに欠かせない存在となっている。

また個人、一般企業、教育機関、政府組織などでスマホが、そしてPCやサーバが相互接続され、国境を越えて無数の組織や個人がつながっている。

「モノのインターネット(IoT:Internet of Things)」と言われるように、インターネットに対応した機器も安価に販売され、家庭の照明、エアコンなどといった家電製品がインターネットに接続される。どれも電気を使う機器である。スマートスピーカーやスマホから操作が可能で、インターネット上のサーバのAI(人工頭脳)が音声認識して動作する。

このような目に見えないネットワークは、約200年前に発見された物理的なレベルが基礎となっている。その土台の上に順に電気的なレベル、単純な信号のレベル、信号で表現された情報のレベル……と、つぎつぎに高度な層（レイヤー）を積み上げるような形で成立している。
その根っこは、本書の実験で頻繁に使うリード線の銅線（copper wire）、そしてコイルとして使う銅線に薄く塗料を熱処理したエナメル線はもちろんのこと、電柱や地中から私たちの家庭に配電される電線と光ファイバーケーブル、さらにさまざまな無線が多彩な機能を発揮している。「パワーアップ」プロジェクトは、この根っこのレベルの実験と観察を十分に楽しいものにすることに徹して計画し、実施することにしたのだった。

タイの学校事情

「パワーアップ」プロジェクトは、日本国内で実施するものではない。タイの先生たちを対象とすることは既に述べた。
そこでタイの学校事情についても説明しておきたい。タイでは首都である大都会バンコクの一部の学校、国公立の有名大学附属校、それに全国に100校を数えるスーパーサイエンス・ハイスクール（SSH）などを除くと、一般に小中学校の大多数は、残念ながら十分な理科の実験をするための施設・設備が貧弱である。これまで長い間、タイのみならずアジアを中心に多くの学校を現地で見て歩くことが多かったが、その実情は日本にいるだけでは想像できないものだった。
多くの学校で、壊れた機材がほこりをかぶり、たとえ意欲を持った先生でも、わずかな古い機材を使って苦労なく実験するのは無理である。
しかし、ものは考えようである。使えそうな機材が無いのなら、新しくはじめる「パワーアップ」プロジェクトで、いっそ一からモノを作ってしまおう。素材を提供して手作りを経験し、制作した機材で実験・観察する。そんなやり方ができるはずだと考えると、かえって取り組みやすいように思われた。
もちろん恵まれた条件の学校を対象にして実施するほうが、格段に取り組みやすい。しかし、そうではない学校で、より良い教育活動に取り組もうとしている先生たちを対象にして、そこで成果を得ることができたら、苦労をする値打ちがあるではないか。

誤解がないようにしておきたいが、タイでは学校の格差の是正のために、早い時期からさまざまな対策が講じられている。中央政府はじめ教育省、バンコクのIPST研究所、中央と地域の科学教育センターなど関係する機関が懸命の努力を続けてきている経緯がある。

特に学習素材のCDの開発、教育メディアの普及、ラジオ・テレビの教育番組など遠隔地教育プログラムの提供、そしてコンピュータとネットワークなど情報化対応は、日本よりも早い時期から取り組まれてきている。米国の影響を受け、プログラミングやロボットの組み立てなども早くから進んでいる。

STEM教育にしても、日本よりも早い時期から中央政府とプラユット首相が主導して教育省を動かし、IPST研究所を担当機関として全国規模のネットワークで取り組んできている。この事情は、「パワーアップ」プロジェクトの参加校の募集方法にも見ることができる。今回のプロジェクト参加校34校は、ユネスコのSTEM教育センターのホームページ案内に応じたタイ全土から選ばれた学校だった。このこと一つでも、いかに情報ネットワークが全国的に普及しているかがわかる。

自分の手で機材を作る、それでわかる「ありがたさ」

タイでも、そして日本でも、先生たちの多くは「電気の実験は苦手だ」と言っても、特段に非難されることはない。それで通用してきた。

この背景に、スマホは手放せないのに、電気に対する「ありがたさ」の感覚を喪失している事情がある。突然の停電があると、例外なく誰でも改めて電気の「ありがたさ」を痛感する。が、それも何度も経験すると「ああ、またか」と思うようになる。

電気は空気と同じように使って当然、いつでも使えて当たり前という感覚になっている。その状況のなかで、タイ製手まわし発電機のT-Gemが完成した。みずからの手で電気を作り出し、それを使って実験できるようになったのである。これは、これまでの実験の取り組みに大きな革新になる。

どのような時に、人はモノのありがたさ、そしてモノに対する深い感謝の気持ちを持つのだろうかと思い続けてきた。そうして到達したのは、モノを自分の手で作ることだと思うようになった。お金を出して手に入れたモノや、他の人に作ってもらったモノでは、「ありがとう」と言っても、口先だけのことである。この事情は料理作りに似ている。自分で料理を作ると、レストランで出てくる料理のありがたさがわかる。

さらに一歩進めて、実験に使う道具は、「無ければ作る」という考え方に変えていきたい。たとえば実験に使うコイル。自分の手でエナメル線を巻かなければ、そのありがたさがわからない。巻いたコイルは購入するものだ、と思われてきた。だが現実には、どこで売っているかわからない。これを言い訳にして実験しない、実験できないという思い込みがある。これこそ実験を厄介と考える大きな障害ではないか。

無ければ作ればいい。作ることのむずかしさを経験すれば、モノのありがたみもわかる。コイルが無いなら自分で作る。コイルのみならず、コイルにエナメル線を巻く作業に使う巻線機、それも手作りすればいいではないか。こうして後に述べる、木材で手作りする巻線機「ジョイ」ができあがった。

子どもの頃からの学びの経過で、重要なのは訓練（デシプリン：discipline）である。この言葉は、現代の教育の世界では運動選手の育成などを除くと、やや嫌われるものとなっている。一人ひとりの個性と自主性を尊重するという耳触りの良い言葉だけが広まる。枠にはめるような言葉や行き方は、敬遠する傾向が強い。

その点は尊重するとしても、車の両輪で言えば、片方の車輪に躾（しつけ）や規律が機能して、他方の車輪が人の成長過程を促す、というバランスが欠かせない。厄介なのは、躾や規律は後になって付け加えることができない。大人になってからの訓練はつらいだけではなく深みにも欠ける。人の成長に大きな効果を及ぼすことは期待できない。

成長した後に、後戻りして取り組めない。しかも一度や二度ではものにならない。何度も、いろいろなことを経験していく過程で繰り返されて身についていく。

自分でモノを作る過程にはさまざまな要素がある。道具となるハサミ、ものさし、鉛筆、のりを使いこなし、最も適した材料を身近で見つけるなどのプロセスを経験する。このプロセスにはSTEM教育のエッセンスがある。モノづくりこそ、STEM教育の根底に流れる基本的な要素なのだ。

自分で手を動かしてモノを作れば、モノに感謝の気持ちが持てる。STEM教育を身につける過程は、やはり自分で食材を手に入れて、料理を作ることと似ていると思う。

「パワーアップ」プロジェクトで電気を扱う基本方針

このような思いを抱えながら「パワーアップ」プロジェクトの構想を練った。そのなかでは、つぎの点に配慮した。

⑴多くの先生たちが電気を扱う実験を厄介なものとしてきた原因を考える

適切な機材が無く、実験の経験も乏しい。所有しているわずかな機材は、どのように扱うのかさえわからないため手が出せない。ますます使い物にならなくなり、保管庫に眠っているだけという状態となっている。

⑵従来の実験機材を徹底的に見直し、必要な道具を工夫する

上の⑴のような状況を改善するため、実験に慣れない先生たちでも扱いやすい機材を工夫する。一連の機材を提供し、あわせて使い方のワークショップを実施する。

⑶できるかぎり自分で手作りした道具、そして身近な材料で実験・観察する

少し時間を費やしてでも、自分の手で作るプロセスを経験する。そうして制作した機材を使って、安全な実験と観察の楽しさを経験する。

⑷モノづくりと作業活動の体験を通じて基本的な工具の扱いに慣れる

制作作業には、いくつかの道具や工具を使う。作り方の練習をするのではなく、実験・観察の必要に迫られてモノを作る。先生たちが、みずから実技訓練（OJT：on the job training）を行う。

⑸電気・電子技術に応用される基本原理の実験・観察を安全に楽しむ

私たちの日々の暮らしに出回っている最新のハイテク製品、スマホやICカードにつながる原理を実験し観察する。それがSTEM教育の思潮であり、その一連のプロセスを体験する。

⑹近代科学技術史の情報を提供し、電気・電子技術の発達の経過を学ぶ

科学と技術の進展の背景には、かなり長い経過がある。その歴史を効果的に学ぶことが、STEM教育の基盤になる。これに長い時間を費やすことはできないが、エッセンスを提供し興味・関心を刺激する。

このように列挙すると、もっともらしく映るかもしれない。

はじめから、このような基本方針を持っていたわけではない。問題は「何を、いかに使うか」だった。あれこれと使えそうなモノを準備し、実験し、何度も試していく過程で、このような方針らしき事柄に思いが波及して練り上げることになった。

子どもたちにとっても、小中学生の時期に生活に不可欠な電気を手作りの素朴な実験機材で学び、身近なものにすること。そして基礎レベルの電気を十二分に理解し使いこなすこと。電気に関する科学技術の近代史にふれること。これらが未来のイノベータに育つためには不可欠であろうと思われる。

2章

T-Gemでイノベーションを起こす

T-Gem(ティジェム):タイ製手まわし発電機

LED電球は、なぜ急速に普及したのか?

21世紀になって、ほぼ四半世紀が経過する。

その直前に、世間ではよく「ミレニアム(千年紀)」と言われ、私たちの暮らしや仕事の変化も加速した。その一つは、家庭の電灯である。

それまで家庭の電灯は白熱電球か蛍光灯だった。ミレニアムになってLED電球が出現すると、またたく間に普及した。日本では、従来の白熱電球は2008年頃に生産停止されている。LEDは家庭の電灯だけでなく、道路やスタジアムの巨大な照明、車のヘッドランプと方向指示サイン、クリスマスの大規模なイルミネーションなど、広く使われている。

その理由は、LEDは白熱電球に比べて省エネルギーだと言われているためである。地球環境の保護、脱炭素社会の実現にもLEDが推奨される。

LED電球の普及にあわせたように、米国から起こったSTEM教育の波が日本でも広く話題になっている。エジソンが京都府八幡市の真竹をフィラメントに使って、世界ではじめて1000時間も点灯し続ける電球を発明したのは1879年のことである。それ以来、140年余が経過した。

この事実は、いまでも小中学校や高校の現代科学史として格好の題材になる。STEM教育でも近代科学史の話題として使いたいものである。

写真2-1　1879年に発明された白熱電球(左)と2006年頃から普及したLED電球(右)

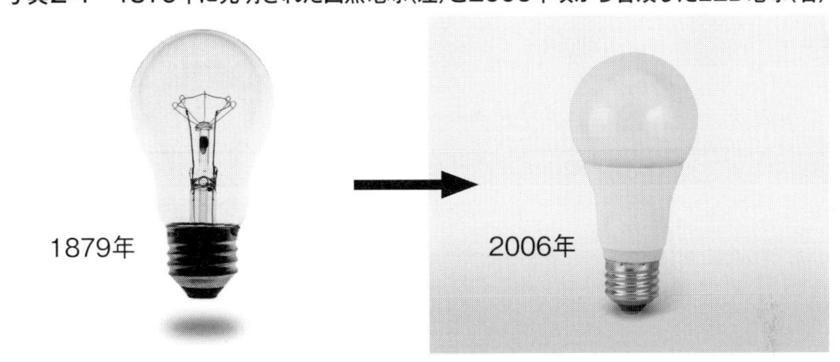

プロジェクトのキックオフはT-Gemで

新しいプロジェクトのスタートに言えることだが、そのキックオフには「これぞ！」というモノが必要になる。それが手近にあるとプロジェクトは、思い切ってスタートできる。

タイでのSTEM教育「パワーアップ」プロジェクトのキックオフでは、それが「T-Gem」だった。プロジェクトの内容を述べる前にT-Gemを入手した経緯から記しておきたい。

写真2-2　3種類のハンドダイナモ

日本製のゼネコン（下)、タイ製の2007年モデル（左)、タイ製のT-Gem（右)

中国の武漢で新型コロナウイルスの感染がはじまった2019年12月、私はタイのアユタヤに滞在していた。首都バンコクから北に約80㎞、車で１時間半の世界遺産の史跡で知られるところである。

クリスマスと正月を目前にして、滞在先のアユタヤ地域総合大学ARUから日本に一時帰国するため、バンコクに到着したところだった。この時、日本で自宅を兼ねた研究所（OES研究所）でアシスタントをしている梅本仁夫（ひとお）が同行していた。

彼にはIPST研究所に自由に出入りができるようにする良い機会だと思って、一緒に立ち寄った。実験機材の制作部門の主任であるナロン氏との付き合いは既に20年を超え、大阪の私の居宅にも来訪されて親しい交流を続けている仲間である。

そのナロン氏には、アユタヤからの帰りに訪れたいと電話しておいた。彼のオフィスに入ると「待ってました」とばかり、見せたいものがあるという。彼が大事そうに私たちの前に置いたモノが、私がT-Gemと愛称をつけることになるIPST製の手まわし発電機だった。

私が日本製の手まわし発電機をIPSTに持参したのは1983年の春のことだった。それ以来、ずっとタイ製を所望してきたのである。

長さ20㎝、直径５㎝ほどの透明のアクリルパイプの中に直流モータ、そしてモータ軸に直結する金属ギヤ・ボックスがある。金属ギヤの回転軸の上部にハンドルが取り付けてある。

パイプには大きさ10㎝ほどのアクリルの土台があり、T-Gemを机に立てて使うことができる。片手で握れるパイプには赤と黒のターミナルが取り付けてある。それにUSBのコネクタもついて、スマホをセットしてハンドルを回せば充電できる。

写真2-3　T-Gem底部のＥ26口金ソケット

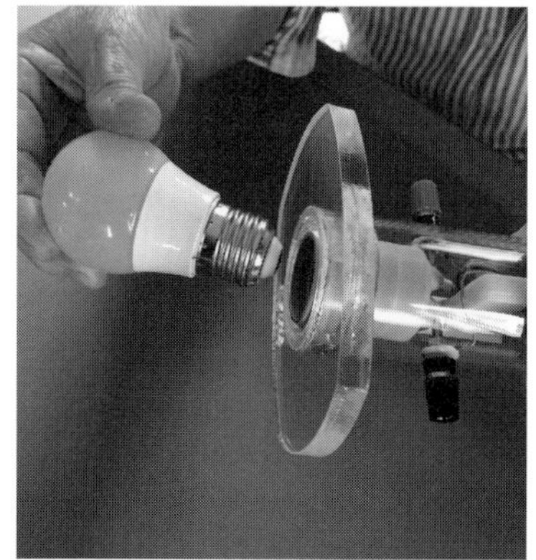

12ＶのLED電球をセットして実用する

さらに驚くのは机に立てていると見えないが、土台の裏にソケットが組み込まれている。これが一般の家庭用の電球口金のＥ26のソケットである。

ちなみに、このＥ26の「Ｅ」こそ、白熱電球を発明したエジソンの頭文字である。2006年頃には、それまでの白熱電球は急速にLED電球に替わってきた。省エネルギーや地球温暖化防止の観点から、今後は白熱電球を見かけなくなってしまうだろう。

それでもエジソンの名は、彼が発明したねじこみ式の口金（Edison base）のサイズの表示として残る。E26は口金の直径が26㎜であることを示している。なお、豆電球はE10である。その他にE17サイズなどの電球を見かけることもある。

日本の手まわし発電機ゼネコンからT-Gemへ

T-Gemの誕生の背景には、約50年もの長きにわたり扱ってきた日本製の手まわし発電機がある。ちなみに海外でも通じるよう、これまで私は手まわし発電機を「ハンドダイナモ（Hand dynamo)」と呼んできた。

私は20代後半から京都市青少年科学センターの建設に加わり、その完成後の４年半は京都市内の小中学生と高校生、そして先生向けの科学教育に携わった。この時に手にしたのが、室内でおもちゃのレーシング・カーを走らせる手まわし発電機である。マブチモーター製で商品名は「ゼネコン」だった。

これが基礎レベルの電気実験に、とても安全で便利に使えることを確かめていた。さまざまな実験器具を試作して、実験を繰り返しても、その電源にゼネコンは好都合だった。

なにしろ、いつでもどこでもハンドルを回せば直流の電源になる。乾電池は消耗するし、音も光も出さない沈黙している電源である。その点、ゼネコンはハンドルを回す手に「重い」「軽い」の感覚があり、必要なエネルギー、そして負荷の大小が実感できる。この体験は本を読んだり話を聞いたりするだけではわからないことである。

1973年秋、私は京都から、当時は東京の目黒にあった国立教育研究所（現・文部科学省・国立教育政策研究所）に新設された科学教育研究センターに転出した。研究室の看板は「教材教具開発室」だった。一人きりの室員ながら上司と先輩の研究者や同僚には恵まれた。

この時期にマブチモーターの松戸工場に出かけ、その倉庫にゼネコンが山積みされているのを見たのだった。理科教材メーカーの株式会社中村理科工業（現・株式会社ナリカ）に紹介して、これを本格的な実験機材として普及しはじめた。

理想的だと思う実験器具でも、教科書に掲載されるのは2009年のことだった。私がゼネコンを手にしてから実に40年も後のことである。教育の革新には途方もなく時間がかかることがわかる。

このゼネコンは海外に出かけるたびに手にしたものだった。そしてT-Gemのモデルとなったものである。

T-Gemが起こしたイノベーション

T-GemにはＥ26のエジソン口金があると述べた。このおかげでT-GemはSTEM教育の実験機材としてだけではなく、タイをはじめとしたアセアンの国では日常の暮らしで使うことができる。この口金は一般家庭の白熱電球、そしてLED電球をねじ込めるサイズであり、タイやアセアンに広く普及している12ＶのLED電球をセットできる。これは、日本のゼネコンには無い特色である。そこには、アセアン諸国に長く滞在すると実感するつぎのような事情がある。

バンコクは、いまや東京や大阪を凌駕（りょうが）する世界有数の大都会になっている。コロナ禍でなければ、行き交う外国人の数は東京や大阪の比ではない。市中はスカイトレイン（BTS）が走り、地下鉄もバンコク郊外では地上に出た路線を延伸し続けている。セブン-イレブンなどのコンビニ、日本食チェーンの店は数えきれない。

それでも、突然の猛烈な豪雨で予期しない停電がある。特に、地方に行くとそんな停電は珍しくない。私は、ここ10年近く日本の冬季はアユタヤ地域総合大学ARUの科学技術学部に研究室と実験室を用意してもらい、そこで仕事をして、キャンパス近くの宿舎で寝起きを続けてきた。その間、月に１、２度は突然の停電を経験している。

もっと田舎（いなか）に行けば、まだ電灯線が届かない場所で暮らす人々がいる。明かりはLED電球、電源はソーラー・バッテリーである。

突然の停電で重宝し、電灯線のない地域でも使うのが12ＶのLED電球であり、その口金がＥ26である。つまり、このタイ製の手まわし発電機T-Gemは、緊急時の電源としてとっさの停電に対応できる。生活必需品になると言っても過言ではない。私が早くからIPST研究所に切望し続け、ようやく考案されたものである。

T-Gemの本格的な普及はこれからだが、タイを拠点にアジアと太平洋地域の国々のために、一つの革新（イノベーション）を起こしたことは間違いない。

私は参加校には少なくともT-Gemを２台ずつ配布することを条件に、プロジェクトの実施を引き受けた。

「電気は苦手」を「電気は得意」にするT-Gem

日本の家庭の電気は100Ｖだが、タイは220Ｖ。誰でも一度は「ビリッ」と感電した経験があるだろうが、タイのほうが感電のショックは大きい。しかもコンセントとプラグの規格が統一されていない。そのためプラグをコンセントに差し込む時、グラグラしてピタッと接触せず、火花が出ることも珍しくない。私自身、タイのアパートでも大学の研究室でも何度か経験しているが、実に嫌なことである。

こういったことを繰り返すと、電気は無くてはならないものだが、電気をいじるのは避けたいと思うようになる。これが電気を苦手と感じる原因であり、小中学校で理科を担当する先生たちでも電気は厄介だと思い込んでいて、タイの先生たちの苦手意識はさらに大きい。

手まわし発電機のT-Gemは、この事態に画期的なイノベータの役割を発揮する。まず、自分の手でハンドルを回して発電する。電圧を自分の手でコントロールできる。いわば電気を我が物にすることになる。

いくら速くハンドルを回しても、せいぜい12Ｖの低電圧、ビリッと感電することはない。だから安心して多彩な電気の実験が楽しめる。

実験室でなくてもできる実験

12ＶのLED電球は、タイのコンビニで売っている。タイは車と高速道路が縦横に発達していて、どんな田舎に行ってもガソリンスタンドがある。そこに必ず日用品を並べる小さなコンビニが営業していて、12ＶのLED電球も入手できる。しかも値段は日本の10分の１以下である。

私はタイから帰国する時、スーツケースに入るだけのLED電球を買って帰ることにしている。これなら気軽にトップカバーを外して、LEDの発光素子を露出させて実験することができるからだ。LED素子が白熱電球のフィラメントとはまったく異なる光源体であることを、じかに見られる。

日本で入手のむずかしい12ＶのLED電球を買ったとしても、気軽にトップカバーを金ノコで取り外すわけにはいかない。壊しては使い物にならないかもしれない。その点、タイで入手する12ＶのLED電球は、たとえ失敗して壊しても構わない。それはそれでディスプレイすれば教材として使うこともできる。

写真2-4　T-Gemに12ＶのLED電球をセットした様子

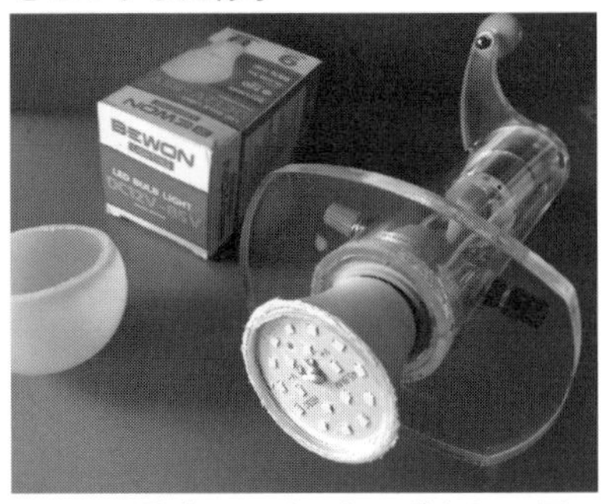

このLED電球はカバーをはずすと18個のLED素子がある

このLED電球をT-GemのE26口金にセットしてハンドルを回すと、点灯する。写真2-4のLED電球なら、18個のLED素子の一つひとつが輝く。白熱電球のフィラメントの輝きとはまるで違う。ハンドルを速く回せばLED素子は明るく、遅く回せばLEDの発光は暗くなる。ハンドルを止めると、LEDは点灯しない。繰り返し何度でも楽しめる実験である。

T-Gemのハンドルの回し方で、その輝きがコントロールできるとなれば、誰でもワクワクするしドキドキする。それも、ほかでもない自分の手で回しているのである。これが実験の醍醐（だいごみ）味である。

少し想像を働かせれば、手にしているT-Gemは発電所、LED電球は家庭の照明を表していると思うことができる。

照明を消せば発電所は休める。照明を明るくすると、発電所の負担は増す。このことをシンプルなT-Gemを使って実験する。基礎レベルの電気実験の一つとして極めて大切だ。これこそ、まさに子どもたちに見せ、体験させたい実験である。

ここで注目したいのは、実験室にあるような立派な電源装置を使わないことである。T-Gemは、室内に配線されている電源コンセントを使う必要はない。従来の電源を使って実験するのでは、ワクワク感は高まらない。自分の手でハンドルを回して実験する。ハンドルを回す手で「重い」「軽い」を実感する。これがよい。前にも書いた通り、これは言葉では決して伝わらない。本に書いてあってもわからない。自分の身体を通じてしか理解できないのである。

古い中国の諺（ことわざ）がある。

「聞いたことは忘れる、見たことは憶える、行ったことは理解する（“I hear, I forget” “I see, I remember” “I do, I understand”）」

この諺は、以前から世界の科学教育でも広く知られており、いまだに時として使われる。まさに、それを体現できるのがこのT-Gemなのだ。

この実験は理科の実験室でなくても、もちろん普通教室でできる。むしろ、そのほうが理科嫌いの子どもたちには効果的だと思われる。タイとアセアン10カ国の地方にはいまだに理科室を持たない学校も少なくない。その状況の改善は急がれるが、その間にも子どもたちは成長する。足踏みして待たせているわけにはいかない。

納得するまで繰り返し実験する

本書の冒頭にある口絵の写真を見てほしい。タイの子どもたちが白熱電球とLEDの違いをT-Gemで実験し、体験している様子である。

T-Gemのリード線でつないでいるのは、プラスチック製の食品保存容器に取り付けた2つの小電球で、どちらも12V用でバイクの方向指示器に使われているランプである。1つは従来のフィラメントを使った白熱電球、もう1つはLED電球である。

実験の詳細については4章に後述するが、白熱電球にT-Gemをつないでハンドルを回してみると、とても重たい。立ち上がって、思い切りハンドルを強く回し続けると、やっとの思いで、わずかにフィラメントが赤くなる。これまで家で使われてきた白熱電球が、どんなにエネルギーを必要とするか、これだけでも十分に体験できる。

つぎにLED電球につなぎかえて、T-Gemのハンドルを回してみる。すると、軽々と回り、LEDが明るく点灯する――。

これで、なぜLEDが急速に普及してきたのかが、自分の手と腕にかかる負担（負荷）の違いからわかる。これも何度でも納得できるまで、繰り返し実験してみるとよい。

ここで使っているのは片手で持てるT-Gemだが、これで立派な機械装置である。この種の装置の扱いに慣れない人は、馴染むためのステップを踏むことを推奨しておきたい。

ハンドルの回しはじめは、ゆっくりとスタートする。これが第1ステップ。そこで回転がスムーズでないなどの異変やトラブルを感じたら、いったんハンドルの動きを停止する。2～3回、ハンドルを慎重に左右に動かしてみる。軸受け部分に何か詰まっていないか点検し、もし何かがあればピンセットなどで取り除く。そして、ふたたびゆっくりと一定方向に回しはじめる。スムーズなら次第にスピードを速める。

この時、ハンドルを急に反対方向に回すと、いかに頑丈な歯車でも壊れることがある。突然の反対回しは厳禁である。それは、この種のあらゆる機械装置の取り扱いの常識である。

ハンドルを止める時も同じく、急に止めようとはしないで、ゆっくりとスピードを下げていく。このような配慮をして使いはじめるとコツがわかってくる。

この操作の基本は、たとえば自動車の走行練習など多くの機械装置に共通している。STEM教育でも、はじめて目新しい機材を扱う時の扱い方を学ぶ基本である。

子どもたちは珍しさが先にたって、いきなり乱暴に扱うことがある。しかし、機械装置はていねいに扱えば長持ちする。私が50年前に手にした手まわし発電機のゼネコンは、いまだに現役で実験に使っている。まずは大人や先生たちが使い慣れて、そのコツを子どもたちに伝えるようにしたいものである。

理科嫌いの子どもを理科好きにする

この実験をする時、さらに子どもたちの意欲をかきたてるためにちょっとした工夫をすることもできる。

長いリード線、たとえば10m以上のリード線を用意し、教室の正面と、ずっと後方に生徒を1人ずつ配置する。生徒を指名する時は、日頃から勉強に積極的でない、あるいは理科嫌いの子どもを選ぶと、ずっと効果的である。「実験は嫌い」という子どもでもよい。彼らがクラスのみんなが見ている前で、2台のT-Gemをつないだ実験をしてみせる。

自分もやりたいという子どもが何人も手を上げるはずである。そうしたら、何組かのペアで実験させてみる。教室は和気あいあいとした雰囲気になる。

雨が降っていなければ、1人は屋外に行ってもよい。それは遠いところにある発電所にたとえることができる。教室に残ったもう1人は工場のモータである。遠くの発電所の発電機から、近くの工場のモータが回る、というストーリーの実験ができる。

先生が実演してみせるよりも、子どもたち自身がやってみるほうが、興味と関心が高まる。

それまで理科嫌いだった子どもも自信を持つようになる。もちろん、実験の様子を観察するほかの子どもたちも、学習意欲を刺激されるはずである。子どもたちは家に帰って、その日の出来事を話すに違いない。保護者も子どもの学校での様子がわかる。

先生の力量は、学級の雰囲気をくみとって即興的な対応ができるかどうかにかかっている。できのよくなかった子どもが意欲を持つと、ほかの子どもたちも刺激を受け、クラス全体の活気が高まる。シンプルな実験でも展開のしかたを工夫すると大いに役立つ。

これらの実験が秘めている価値は、実験しない教育研究者や口先だけでSTEM教育を唱える人たちにはとうてい「理解できない」だろう。「行わない」のだから。そんな大人たちを軽々と超えて、子どもたちはT-Gemを使った実験を楽しむのだ。

好むと好まざるとにかかわらず、私たち、そして子どもたちは、この先の人工頭脳AIの発達や変化に付き合っていく。スマートスピーカーのAIアシスタント、「アレクサ」や「シリ」がどうして音声の命令通りのことをやってのけるのか、その原理を基礎レベルの実験で追求する道具がT-Gemである。アレクサやシリは、いずれ変化し発展していく。その場合でも原理は変わらない。

指先でタップするだけ、声でスピーカーに命じるだけでは、次第に子どもたちや孫たちは身体能力が衰えていくのではないだろうか。それが日頃の感情や好奇心を退化させるのではないかと気になる。その代わり、別の能力が育てばよいのだが。

手を動かすことで、楽しみ、体験し、学んでいく。それが子どもたちの学習意欲を高め、未来にイノベーションを起こす第一歩となる。それこそが、STEM教育の根幹である。

3章

「パワーアップ」プロジェクトの準備と実施プラン

初の試みとなるリモートによるワークショップ

タイの先生たちを対象にしたSTEM教育ワークショップ、その名も「パワーアップ」プロジェクト。ここからは、具体的な内容について紹介したい。

国際連合の教育科学文化機関（ユネスコ：UNESCO）の本部はパリにある。タイの首都バンコクには、そのアジア太平洋地域教育事務所UNESCO ROEAPが開設されていて、既に長く事業活動を続けてきている。ここに以前から東南アジア文部大臣機構（SEAMEO）事務局本部も置かれていて、アセアン10カ国の広域の教育支援事業に取り組んでいる。

そのSEAMEOに、米国でSTEM教育の思潮が高まる動きに呼応してSTEM教育センターが開設された。私は2021年6月から同センターの委嘱を受けてシニア・エキスパートを務めてきた。「パワーアップ」プロジェクトは、同センターからの要請で企画・構想し、2022年3月に1カ月間にわたって実施したものである。

これまでなら現地に出向いて、会場に参加者を集めて実施する。しかしコロナ禍のまっただ中、私自身も大阪の居宅から動けず、バンコクのSTEM教育センターとはオンラインのリモート・ワークである。当然、プロジェクトもリモートによる実施となった。私にとってははじめてのリモートによるワークショップである。そのネットワークの概略は図3-1に示す通りである。

私の居住する大阪①、バンコクで機材を制作し参加校に送付するIPST研究所②、STEM教育センターのプロジェクト・チーム③、そして参加する先生たちタイ全土の34地点、これらを相互に結んで実施したのである。このネットワークにも電気と通信技術の恩恵がある。

図3-1　大阪、バンコク、タイ国内34校を結ぶネットワーク

①大阪、筆者の居宅と隣接するOES研究所
②バンコク、タイ教育省・IPST研究所
③ユネスコ・SEAMEO・STEM教育センター
そしてタイ全土、34地点の参加校
ワークショップの実施は、①↔（②と③を介して）↔34地点の参加者に結ばれる

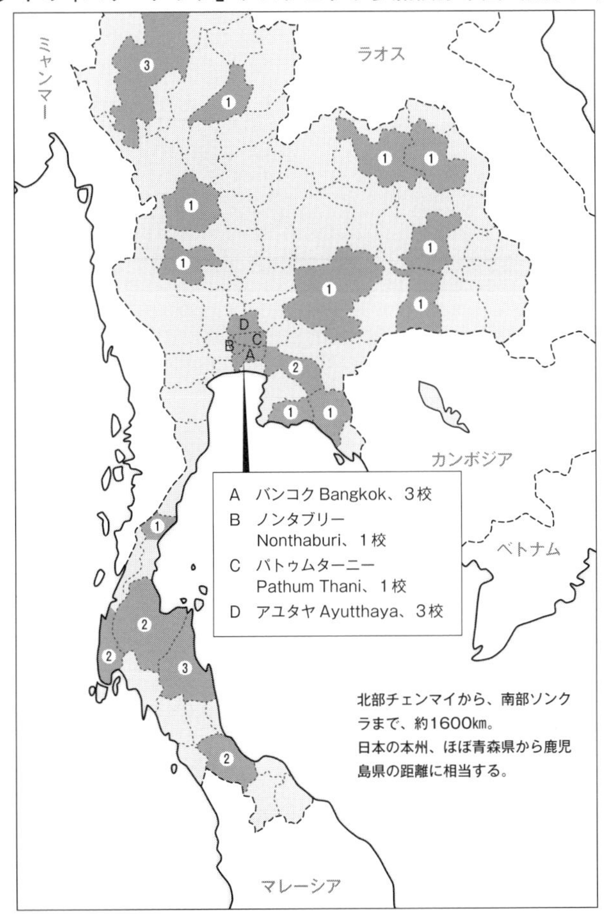

図3-2 タイの「パワーアップ」プロジェクト参加校分布図（数字は学校数）

ワークショップの要請から実施まで

ここで、私とプロジェクトの関わりを時系列で記してみたい。

新型コロナウイルス感染症が広がる直前、T-Gemとの出合い（2019年12月、アユタヤとバンコク滞在）

2019年12月、滞在していたアユタヤ地域総合大学ARUから一時帰国するため、バンコクに到着。OES研究所・岸和田工房の梅本仁夫を伴って IPST研究所を訪問。この時、後にT-Gemと愛称をつけた手まわし発電機の新型をはじめて見る。

2台のサンプルを日本に持ち帰り、手まわし発電機ゼネコンの取り扱いで50年の実績を持つ東京の株式会社ナリカを訪問。持参した手まわし発電機のサンプルを見せると、社内で慎重に検討されたが、国内外ともこれまで同様に、自社のゼネコンを扱う方針に変わりないとの感触だった。

コロナ禍が拡大する頃、ラオスワークショップの要請(2020年1月〜3月、バンコクのIPST研究所滞在)

年明け早々、再び大阪からバンコクに移動していた。IPST研究所の宿泊施設に3月中旬まで滞在し、帰国後にT-Gemと呼ぶことになった新型の手まわし発電機を使う多彩な実験作業に取り組むのである。私のOES研究所で開発した「手振り発電パイプ」や手づくりのコイル巻線機「ジョイ」などと組み合わせると以下の章で述べるような多彩な実験活動が展開できることを確認するのが目的だった。

この滞在中に、タイで簡単に安価に入手できる12VのLED電球がT-Gemでも点灯できる利点を確かめた。それらの予備実験の日々を過ごし、3月11日に予約していた帰国便に乗るべく、タイで仕入れた機材を詰め込んだ約40kgの荷物とともにドンムアン空港へ到着。しかしコロナ禍の広がりで予期しない欠航に遭遇し、数日間、空港近くのホテルで出発便を待つ事態になった。

ホテルで缶詰になっている時、STEM教育センター代表のポンパン女史(元・IPST研究所所長)が駆けつけてきた。用件は同センターの事業として、2020年にラオス国境地域の教師向けワークショップが予定されていて、その企画と実施を担当するようにとの要請だった。急いで最新のCV(仏語で「履歴書」の意味)の提出を求められる。すぐに暫定版を提出。さいわいにも、その数日後に座席が確保できた台北乗り継ぎ便で、からくも帰国した。

この後、バンコクとはメールやオンラインのやりとりとなった。航空便再開の目処はたたず、ラオスでのワークショップの案件は延期につぐ延期となって、年末になって結局は開催不能となった。私のほうは計画を練り、プログラムも作成し、いつ開催が決まっても出かけられる準備をする日々だったが不発に終わってしまった。

このような要請は昨日や今日の付き合いではあり得ない。IPST研究所と長く交流を続けてきたことが背景にある。ポンパン女史は私の現地での教育協力のやり方を部下たちとともに見聞きしていて、依頼してきたのだ。そう思うと、ラオス案件は立ち消えとなったものの、ありがたいことだった。

UNESCO－SEAMEOのSTEM教育センターの要請（2021年6月）

コロナ禍2年目。日本でも在宅によるリモート・ワークが広まりはじめた。小中学校や高校では生徒たちにタブレットを持たせ、自宅学習を取り入れる試みが始まっていた。タイとは途切れながらもメールやオンラインでの交流が続いた。

6月になってSTEM教育センターからシニア・エキスパートの委嘱を打診してきた。仕事はアセアン地域のSTEM教育のワークショップを企画し実施することである。この時点までは、まったくの手弁当のボランティアの取り組みだった。だが、ここからは契約書ベースの仕事になる。途中でギブ・アップできない。健康に留意して緊張した気分で取り組む日々となった。

最初の具体的な仕事は、タイの小中学校の先生たちを対象にリモートでワークショップを実施することだった（これが後の「パワーアップ」プロジェクトである）。STEM教育センター側からのしばりは特に無く、いわゆるアウトソーシングである。ずばりと言えば丸投げ、自由に好きなように構想し実施できる。

かくして6月からバンコクのプロジェクト・チーム（以下「チーム」）とリモートによる活発なミーティングが続いた。相互にキャッチボールをするなかで、私の計画と内容をチームに知らせ、STEM教育センターの近くのIPST研究所が機材を制作し、参加校に配布する。その枠組みと実施方法が次第に明確になった。

参加するのは34校。毎週末を使う計5日間のプログラムである。バン

表3-1　5日間のワークショップ、3プロジェクトを実施する日程案

3月	予定時間	午前	午後
事前会合 5日（土）	9時30分 ～10時	趣旨説明、オリエンテーション 事前チェック	（プロジェクト・チームの打ち合わせ）
【1日目】 12日（土）	9時 ～15時20分	【プロジェクト1】 手まわし発電機T-Gem 乾電池ユニット、手まわし発電機T-Gemを使う実験	4豆電球台を使う実験 白熱豆電球とLED豆電球で実験 2台のT-Gemをつなぐ実験 ソーラ・パネルを使う演示実験
【2日目】 13日（日）	9時 ～15時20分	コンデンサーの充電と放電（スマホの充電と関連づけて） 12VのLED電球を使う実験	白熱電球のモデル実験 白熱電球からLED電球の普及へ ミレニアムを作った100人の話題
【3日目】 19日（土）	9時 ～15時20分	【プロジェクト2】 乾電池と豆電球の大型模型 制作作業、直列接続／並列接続	導体／不導体／絶縁物の実験・観察 エナメル線を使う（事前準備） 【中間評価】
【4日目】 26日（土）	9時 ～15時20分	【プロジェクト3】 手振り発電パイプ その制作と実験 巻線機ジョイの巻線作業	手振り発電パイプの実験 LED豆電球の点灯
【5日目】 27日（日）	9時 ～15時20分	ICカードのモデル実験 検流計を使う実験	質疑応答、進んだ実験活動、【評価】 終了セレモニー、修了証の授与

（注）時間は現地時間で表示、日本時間は2時間プラスする。現地の正午は、日本時間の午後2時である

コクもコロナ禍のために機材制作の材料調達が思うように進まないため、実施は翌年2022年３月となった。プログラムの暫定案は、表3-1の通りである。その間、チームとのリモートによるミーティングは15回を数えた。

表3-1の予定時間には昼間に40分間のランチ休憩、午前と午後にそれぞれ短いティーブレークを含んでいる。正味１日６時間。５日間で合計30時間のプログラムである。

主要な題材は、「【プロジェクト１】手まわし発電機T-Gem」「【プロジェクト２】乾電池と豆電球の大型模型」「【プロジェクト３】手振り発電パイプ」として了承された。

参加する先生たちが「やる気になる題材」でスタート

参加する先生たちの多くは、電気は苦手で厄介だと思い込んでいる。そのことを想定して、まずは安全で楽しく取り組めること、これをモットーにした。

具体的には、５日目に検流計を使う以外、従来の電気実験で用意する機材、たとえば電圧計や電流計などは使わずに済ませる。そのような工夫をした。

バンコクにいるチームには、実施初日の１週間前、３月５日に参加者たちと事前会合をセットすること、これを強く申し入れた。そうすれば、あらかじめタイ各地に散在する参加校の先生たちと画面越しながら互いに顔見知りになっておくことができる。その事前のミーティングでワークショップに必要な準備を伝える。これが円滑な滑り出しには欠かせないと考えた。そして実際、それが大いに役立った。

何事によらずスタートは、慎重な心くばりが必要になる。

学校なら１年間の教育計画というロング・スパンでの取り組みになる。そのなかの１回の授業であれば、たとえミスをしても途中で取り返すことができる。マラソン・コースを走るようなものだ。しかしワークショップは、そうはいかない。まったく見ず知らずの、年齢も経験も異なる参加者たちを相手にする。しかもごく短期間の取り組みである。

出だしで参加者たちの気持ちをつかんで、「よし、やるぞ」という気分になってもらえるかどうか、それがワークショップの成果を左右する。

これが学校の授業なら、3日目に予定している「乾電池と豆電球の大型模型を作る」という、いわば伝統的な題材からはじめるところである。この入り方は安全だが、やや目新しさには欠ける。それを避けるため、いきなり参加者がはじめて手にする目新しい機材、手まわし発電機T-Gemからスタートすることにした。

5日間の全体構成

かくして1日目は、【プロジェクト1】としてT-Gemを紹介する。

T-Gemの扱いに慣れること。これが5日間のプログラムの前提になる。そのため十分な時間を用意する。自分の手で電気を起こして実験することで、思い通りに実験をコントロールできることを経験してもらう。

この出だしの段階でタイの先生たちにタイ製のT-Gemを渡して実験してもらえたのは、講師としては秘かに喜ばしいことだった。もし、これが日本製の手まわし発電機ゼネコンだったら、この気分は味わえなかったはずである。なぜなら、T-Gemはタイの先生たちにとって自国が誇りにしているIPST研究所の制作になるものである。無理なく自尊心を高め、誇りを感じることに役立つ。

2日目は、初日の復習をする意味からT-Gemを使った白熱電球と12VのLED電球の点灯実験とした。電球のトップカバーを取り外すとLED素子がじかに見える（38ページ、写真2-4）。長く使われてきた白熱電球とまったく異なる発光方式である。

しかも1日目で使い慣れてきたT-Gemを使って点灯させる。白熱電球の点灯に比べて、いかにわずかなエネルギーで点灯するか、それが体感できる。

ここで現代科学史として、エジソンが発明したフィラメントを使う白熱電球の普及してきた歴史を見直す。そして、やがて生産停止にいたる過程を参加者たちとともに考えるプログラムとした。

３日目は、【プロジェクト２】で乾電池と豆電球の大型模型の制作に取り組む。従来、この初歩段階の実験は、小さな乾電池と豆電球を使うものだった。小さく細かな材料は、すべて実験前に一つひとつ点検しなければならない。実験が終わった後も、つぎの先生が使うためには、もう一度一つひとつチェックする必要がある。先生たちは準備と授業に、そして後始末に多大の労力が必要だった。しかも授業に少なからず混乱が生じて、あいまいな状態の結末になる傾向があった。

子どもたちは目の前に用意された材料に興味を持ち、好奇心を発揮する。先生の説明は上の空になる。実験の目的よりも、さまざまな想像に気持ちが向いてしまう。

また、グループの間で実験の進捗（しんちょく）が異なるため、早く実験が終わって手持ちぶさたになるグループがある。そうかと思うと、熱心に実験を繰り返すグループもある。グループ間に違いが生じても授業時間が終わると、そこまでのことになる。先生は大急ぎで結論を説明しなければならない。

これでは、せっかくの実験・観察が消化不良のままで終わる子どもたちへの対応ができない。この初歩的な実験こそ、革新したい。その道具として手作りの大型模型の制作活動を取り入れる。それによって、子どもたちははじめて目にする大きな乾電池と豆電球に好奇心を刺激される。理科嫌いだった子どもでも、思わず引き込まれる。これまで見かけない大きなサイズであること、先生が手作りしたものであること、それらのインパクトが決め手になる。

このような工夫を日頃の授業でも活かすと、準備も授業も後始末も簡潔に円滑に進む。しかも理科嫌いの子どもたちが、クラスのなかで大型模型を操作する経験を通じて自信と意欲を持つことができる。

日頃から使い慣れたものは別として、子どもたちは学校の教室で扱う道具や装置の取り扱いには緊張しているものである。その点、大きな手作りのモノは馴染みやすく、扱いやすい。私たち大人が使うモノでもユーザー・フレンドリーな商品が好まれる。多彩な授業活動をする多忙な先生や子どもたちが操作するモノにこそ、フレンドリーな感覚のモノが必要である。

制作した模型は実験・観察に使う。それによって身近にあるさまざまなモノが電気を通すものと通さないもの、つまり導体と不導体に区分できることを鮮やかに演示実験することができる。

ここでテストする材料にエナメル線も用意しておく。後で詳しく述べるが、このエナメル線こそ、ごく薄いエナメル塗料が極めて効果的に電気を絶縁するための完璧な役割を果たす。それゆえ狭いスペースに大量のエナメル線を超密度に巻いてコイルを作ることが発電機とモータに不可欠な材料になっている。

そして、この実験が４日目と５日目の【プロジェクト３】の手振り発電パイプの実験につながる。さらに２個のコイルを使用したICカードのモデル実験の基本にもなる。

画面越しのワークショップがスタート

実際にプロジェクトが進行してみると、毎回１週間の間隔が設けられたことは各題材の準備時間が確保できて好都合だった。

私自身もチームも、そして参加校34校の73人の先生たちにとっても、はじめて経験するリモートでのワークショップである。しかも講師の私は大阪の自宅から英語で話し、それをチームのリーダーがタイ語に翻訳して進める。

この通訳を担当したのは、タイのチュラロンコン大学で物理を担当するブリン博士だった。画面を通しての初対面だったが、彼はとても丁寧な通訳をしてくれて大いに助かった。プロジェクトが終了した後も私のプログラム題材を最も良く理解してくれて得難い新しい知人となった。

私は大阪の自宅に隣接する私設の研究所の実験室にいる。その実験室のホワイトボードの前で、一つひとつの機材の説明と演示実験をしてみせる。それをアシスタント役の梅本仁夫がカメラで撮影する。その様子を、バンコクにいるブリン博士がタイ語にして、参加している先生たちにオンラインで届ける。参加者たちはディスプレイに映し出される私の顔やアクションと英語、あわせて通訳されるタイ語を聞いて、それぞれ自分の目の前にある材料を手にして実験・観察をする。

これはテレビの料理番組に似ている。しかし参加者たちはブリン博士のタイ語による説明と目の前のまったく新しい機材を手にするので、かなりむずかしいと感じてしまうに違いない。

それを想定して参加者の理解を確認しながら、ゆっくりと進めることになる。逆に想定よりも早く進む場合もある。オンラインでつながっている時間を無駄にしないために、いくつか予備の話題も準備していた。それらを含めて表3-1の日程は、あくまでも暫定的なものとしていた。

これに続く章で、「パワーアップ」プロジェクトの主な題材内容の概要を紹介したい。

4章 一人ひとりに安全でハンディな発電機を

【プロジェクト1】手まわし発電機、T-Gem

プロジェクト後も長く愛用できる機材を

ここまで、プロジェクトの内容とキックオフの武器となるT-Gemの経過と特色を述べてきた。

T-Gemを使えば特別な準備をしなくても、誰でも思い立ったらその場で、安全に電気の実験ができる。苦手と感じたり、厄介な気分に陥らないで、気軽に取り組める。実験装置を準備して取り組まなくてはならない、という考えを吹き飛ばせる。いわば電気と電気実験の苦手意識を解消する特効薬である。

先生が楽しくなれば、子どもたちも楽しく学べる。その決め手が手まわし発電機T-Gemである。

ワークショップは一時的なイベントである。だからこそ、それが終わった後には何も残らなかった、とはしたくない。「パワーアップ」プロジェクトの後も、参加した先生たちが長く愛用できる機材を提供したかった。

しかし電気の基礎を学ぶ立場からすると、T-Gemの透明アクリルパイプの中の直流モータの内部は、そのパイプを壊さないかぎりは見えない、という課題が残っていた。モータの内部は教科書などの挿絵や写真で見ることがあるが、それだけではいま一つ迫力がない。

そこで「パワーアップ」プロジェクトでは、【プロジェクト３】で「手振り発電パイプ」を制作して使う。これで、ズバリ解決できる実験・観察になる見通しとなったのである。

【プロジェクト１】手まわし発電機、T-Gem

準備１　最初に乾電池につなぐ

T-Gemを手にしたら、まずは乾電池につないでみる。これがスタートである。

T-Gemはモータを内部に備えている。ハンドルを回すと発電機になる。いろいろ試した結果、使い慣れるためには、最初に乾電池につなぐのがよい。この入り方がお勧めである。

乾電池はエアコンやテレビのリモコンなど広く使われていて、参加者にも馴染みがある。多くのリモコンの乾電池は単３か、それより小さい単４である。しかし実験では、太くて扱いやすい単１を使用する。

まず単１の乾電池３個を用意する。１個の電圧は1.5V。これを２個直列につなぐと３V、３個を直列にすると4.5Vの電圧になる。

写真4-1のように、乾電池ケース３個を直列につないで木板に固定する。これを１ユニットとする。こうしておくと、実験しやすくなる。

ついでにこれを２～３ユニット作っておくと、２ユニットで９V（4.5V×２ユニット）、３ユニットで13.5V（4.5V×３ユニット）の電圧になる。

写真4-1　単１乾電池３個の直列ユニット台

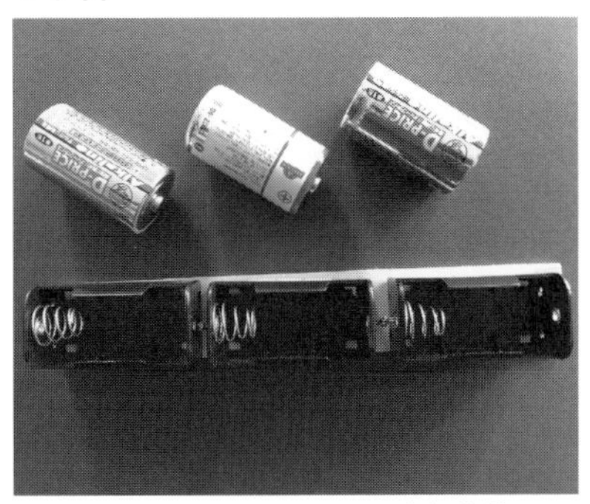

１ユニットは1.5V。つなぎ方次第で３V、4.5Vの電源となる

写真4-2　乾電池の状態を豆電球でチェックする様子

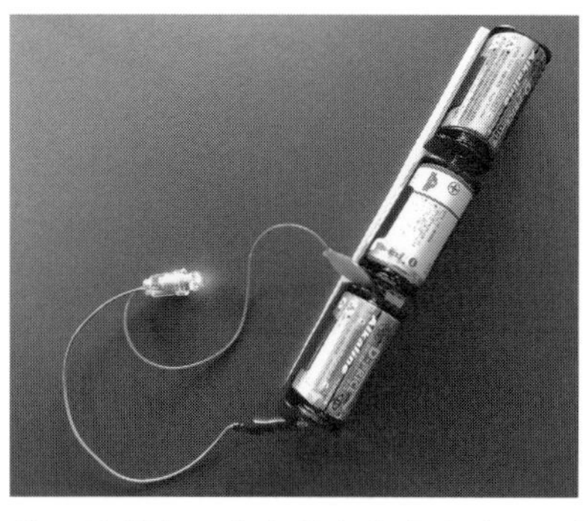

乾電池１個は1.5Ｖだが、これで最大13.5Ｖの直流の電源として使える。

これで重たい電源装置を使うことから開放され、手軽に電気の実験ができる。写真4-2は豆電球を使って、乾電池ユニットにセットした１個ごとの乾電池の状態をチェックしている様子である。乾電池は見ただけでは使えるかどうかわからない。豆電球も切れているかどうかわからない。用意した材料が使えるかどうか。実験をはじめる前に、これらの点検をしておきたい。

乾電池と豆電球が使えることが点検できたら、さっそくT-Gemのターミナルからリード線で乾電池に接続してみる（写真4-3）。

乾電池ユニットをT-Gemにつなぐと、T-Gemがモータになりハンドルが回るのだが、乾電池１個（1.5V）ではT-Gemのハンドルは回転しない。２個（３Ｖ）に接続すると、ハンドルがゆるやかに回りはじめる。３個（4.5Ｖ）に接続すると、ハンドルはかなり速く回る。

２台の乾電池ユニットをつないで、同じように実験すると、乾電池が増えるごとに、ハンドルの回転は速くなる。さらに３台の乾電池ユニットを使って13.5Ｖに接続すると、T-Gemをしっかり押さえていないとガタつくほど、ハンドルは猛烈なスピードで回転し、長くは続けていられない状態になる。

写真4-3　乾電池ユニットにT-Gemを接続する

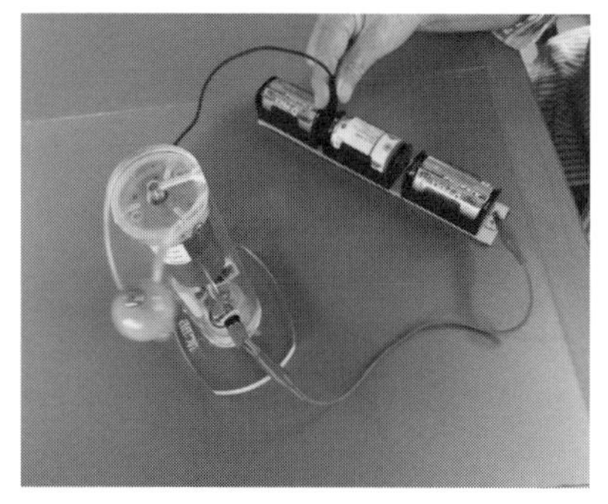

これだけでも、実に面白い実験になる。ごく初歩的な実験だが、楽し

さを感じることができるだろう。

一般的な実験用の電源装置は、とても重たくて扱いにくい。また、一度安全ヒューズが切れると補充がむずかしく、そのまま放置されてしまうことも多い。ところが、この乾電池ユニット台なら電池が消耗しても、補充は容易である。

これで参加者は乾電池電源とT-Gem電源の２つを手に入れて、いつでも使える状態となった。そして乾電池ユニットとT-Gemの扱いがグンと親しいものになる。電気の実験が苦手だという意識も忘れて、ドキドキする実験の楽しさが経験できる。

準備２　豆電球台を用意する

つぎにターミナルに豆電球とソケットのリード線を接続して、ハンドルを回す。こうするとT-Gemは本来の手まわし発電機となり、豆電球が点灯する。ハンドルを速く回すと、それだけ明るくなる（写真4-4）。

写真4-4　T-Gemのハンドルを回して豆電球を点灯させる

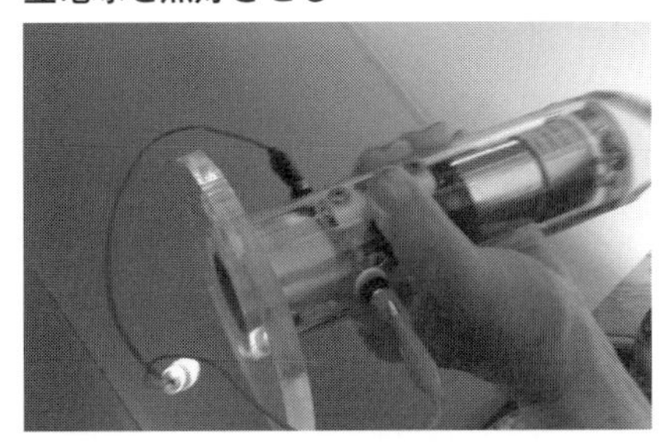

豆電球は基礎レベルの実験に欠かせない材料の一つだが、１個をソケットにセットして使うのでは、写真4-4のようになる。

そこで、写真4-5のように４個のソケットをセットした豆電球台を用意したい。「パワーアップ」プロジェクトでは、これを参加校に２台ずつ配布した。

写真4-5　T-Gemを豆電球台に接続する

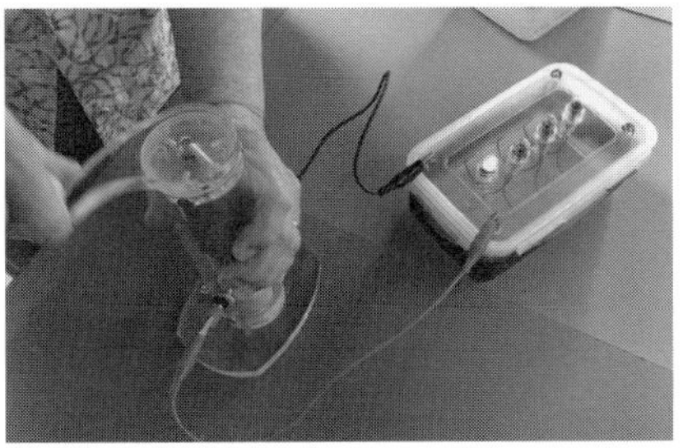

４個の豆電球をセットできる。LED豆電球も使用可能

豆電球台を作るには、スーパーで売っている食品を入れるプラス

チックの空容器を使うとよい。ふたの部分に穴をあけ、４個の豆電球ソケットを挿入し、接着剤で固定する。裏側に出たソケットのリード線は、銅線を使って並列に接続する。銅線の先端を表側に取り出して丸めた部分をターミナルとして使う。これは時間があれば参加者みずからの手で作ることも十分可能なので、ぜひともそうしたいものである。

実験１　白熱豆電球を４個セットする

実験は、写真4-6の電球台に豆電球４個をセットすることからはじめる。ここで使う豆電球は、従来、使ってきたフィラメント型（白熱電球）である。ただし、最初は点灯しないように４個の豆電球は少しゆるめてセットしておく。

写真4-6　豆電球台の外観と内側の接続の様子

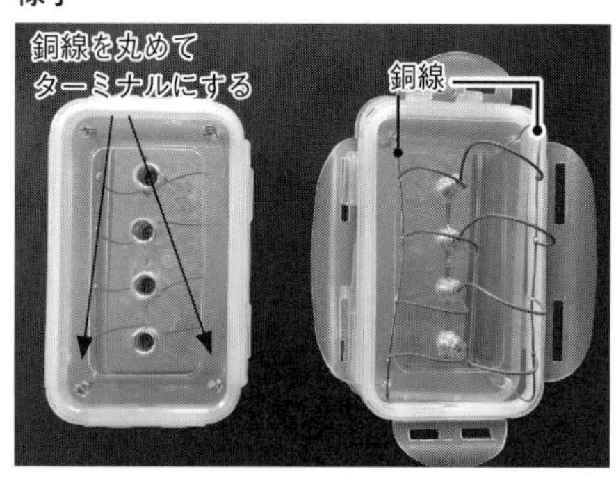

T-Gemを接続して、ハンドルを回してみる。当然のことながら４個の豆電球は、ゆるめてあるため点灯しない。ハンドルは軽々と回せる。

まず、１個の豆電球をねじ込む。

そしてT-Gemのハンドルを回すと、その豆電球が点灯する。速く回せば明るくなる。この時に大切なのは、点灯しなかった時よりハンドルが重くなること、つまりハンドルを回す自分自身のエネルギーが必要なことを実感できる点である。

乾電池で豆電球を点灯させても、乾電池のエネルギーを使っているとか、乾電池の電気を消費しているという実感はまったくない。ここに決定的な違いがある。

この違いこそ、エネルギーを考えるうえで決め手になる。広い視野で見ると、これが地球規模の省エネルギーや省資源、脱炭素社会の実現などの考え方につながっていく。

つぎに、豆電球2個をねじ込んでT-Gemのハンドルを回す。

すると、先ほどと比べてずっと重たくなる。2個の豆電球を明るく点灯させようとすると、かなりの力が必要だとわかる。

さらにもう1個豆電球を増やすと、T-Gemのハンドルはさらに重くなり、もはや明るく点灯させることができなくなる。4個をすべて点灯させようとすると、座っていてはハンドルは重くて回せない。立ち上がって思い切りハンドルを回して、やっとわずかな点灯ができるほどである。

とても単純な実験だが、これも繰り返して実験したい。

実験2　別の電球台にLED豆電球4個をセットする

つぎに、もう1台の電球台にLED豆電球を4個セットして、すべてねじ込む。そして、先ほどと同じようにT-Gemを接続してハンドルを回す。

すると、おどろくほど軽々とハンドルを回すことができる。しかも4個のLED豆電球は、どれも明るく点灯する。フィラメント型豆電球とLED豆電球の消費エネルギーの違いを、これほど鮮やかに体感できる実験は他にはない。

T-Gemのハンドルを回す自分の手で確かめながら、納得できるまで実験・観察を繰り返す。この一連の実験が安全に、しかも実験設備を持たない場所でもすぐに取り組めることも特色である。

ここでは、子どもたちの意欲を高めるために、つぎのようにストーリー仕立ての展開もできる。

「T-Gemは発電所である。そこから離れた場所に4軒の家A、B、C、Dがある」という話を実験活動に取り入れる。「昼間は、どの家も電灯を点(つ)けない。だから発電所の負担は無い。けれど、夕刻にAの家が電灯をつける。発電所から電気が供給されて少し重くなる。夜になってさらにB、C、そしてDの家が電灯を灯す。すると発電所の負担は次第に重くなる。朝に4軒の家が電灯を消すと、発電所の負担は無くなる。この4軒の家がフィラメント型の電灯からLED電灯に取り換えると、発電所の負担は、どうなるだろうか――」。

T-Gemのハンドルを回して経験できたように、劇的に負担が少なくなることが理解できる。

このような学習の展開をすると、子どもたちにも明快にわかるだろう。そのような展開ができるのが優れた先生である。

用意した実験機材はシンプルなものだが、使い方によって多彩な展開ができる。ここでの実験は、この先に続く一連の実験・観察につながっている。

このスタートの段階でT-Gemの使い方に慣れ、自信をもって実験できるようにする。それが、ワークショップの成果を左右する。それだけに、十分に時間を費やして取り組むことにしたのだった。

実験３　コンデンサーの充電と放電

T-Gemは多彩な実験で活躍する。なかでもぜひとも経験しておきたいのは、私たちが手放せないスマホに関連する実験である。

スマホを使っている人は、例外なく「チャージする」ことを気にしている。このチャージ（charge）こそ、電気の基礎実験で欠かせない「充電」である。充電の反対は放電（discharge）である。充電と放電は対になっている。

スマホのバッテリーは使っても使わなくても放電する。そのため、時間が経過すれば充電しなくてはならない。今後、電気自動車が普及してくると「チャージする、充電する」は、もっと頻繁に使う言葉になるに違いない。

T-Gemは、この充電と放電の実験・観察をするのに好都合な機材である。

これまで充電と放電の実験は、蓄電池を使って取り組む厄介な実験だった。それがT-GemとLED豆電球とコンデンサーの３つを使うと、安全で手軽にできる画期的なものになった。

「コンデンサー」は、多くの人には馴染みがない（写真4-7の１～３）。だが現実には、実に多種多様な電気機器や電子製品、もちろんスマホにも使われている、電気を蓄え（チャージ）、逆に放出（ディスチャージ）する部品である。これはネットや電子部品ショップで購入できる。

写真4-7　T-Gemとコンデンサーなどの実験材料

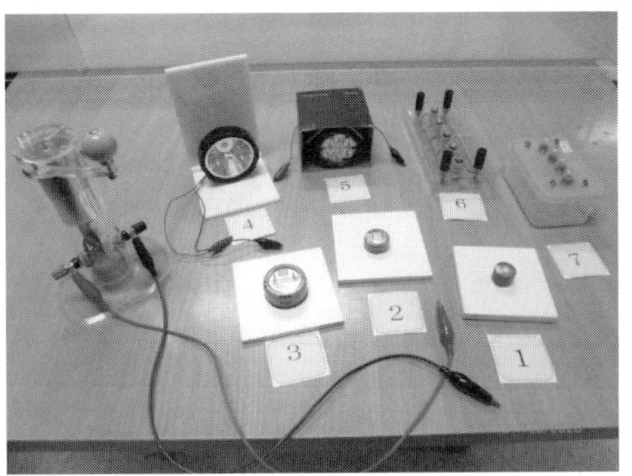

１～３：コンデンサー／４、５：LED懐中電灯のヘッド／６、７：LED豆電球台

コンデンサーに電気を貯める大きさ（静電容量）を示す国際的な単位はＦ（ファラッド）であり、1831年に電磁誘導の現象を発見した英国人科学者で、誰でも一度は耳にしたことがあるであろうマイケル・ファラデーにちなんでいる。

写真4-7のコンデンサーは、１から順に１Ｆ、３Ｆ、５Ｆである。小さい部品なので、写真のように白い四角い木板に固定すると使いやすい。丸い本体からは２本の小さいツノの電極が出ていて、長いほうがプラス(＋)、短いほうがマイナス（−）である。普通は、この部分にリード線をハンダ付けするなどして使う。

「パワーアップ」プロジェクトでは、いちばん小さい１Ｆのコンデンサーと、LED懐中電灯のヘッドを使って実験する。この実験は、いったん慣れれば簡単な実験だが、はじめて行う時は少し面倒に思えるかもしれない。それでもステップ・バイ・ステップで楽しむようにしたい。

実験3-1. コンデンサーの蓄電（充電）

１Fのコンデンサーと T-Gemを接続する。

この時コンデンサーに電気が残っていると、T-Gemのハンドルが回転する。その時はハンドルの回転方向を見極めたい。時計方向に回った場合、その方向にハンドルを回すとチャージできる。なぜならコンデンサーに蓄積している電気がT-Gemに流れてきて、この時計方向の回転がプラス（+）であることを示しているからである。

この場合は回転しているハンドルを回転方向にあわせるように手に持って、同じ方向に10〜20秒間しっかりと回し続ける。これでコンデンサーに充電していることになる。

そしてハンドルを放してみる。すると、わずかに10〜20秒間の充電でハンドルは鮮やかに回り続け、コンデンサーに蓄電されたことがわかる。ハンドルが回り続ける間は、コンデンサーが放電していることになる。

実験3-2. コンデンサーの放電

つぎにコンデンサーからT-Gemを離して、LED懐中電灯のヘッドを接続する。この時コンデンサーは充電されているため、LED豆電球はしばらくの間、明るく点灯し続ける。

それに対してフィラメント型の豆電球を点灯させると、いったんは点灯しても、たちまち暗くなり、間もなく消えてしまう。これはLED豆電球の消費する電気エネルギーが少ないことに比べて、フィラメント型が消費する電気エネルギーが大きいためである。

繰り返しになるがフィラメント型豆電球とLED豆電球の消費エネルギーの違いが、この実験でもわかる。

この充電と放電の基礎的な実験経験は、スマホが普及している事情から明らかなように、暮らしのなかの基本的な知識を深め、STEM教育の実践に欠かせないものである。

T-Gemを２台接続する――高度な実験も無理なく楽しめる

ワークショップの参加校には、チームと機材を制作配布するバンコクのIPST研究所に強く要望して、T-Gemを２台ずつ配布した。

T-Gemは、Thai made Generating Electricity and Motorの略称であると述べた。Motorとしているのは、乾電池を接続した時、T-Gemのハンドルが回転して電動機（モータ）にもなるからである。

T-Gemを２台接続すると１台は発電機、もう１台はモータになる。

２台のT-Gemをリード線で接続して片方のハンドルを回すと、この方法でも発電機であり、モータでもあることを確かめることができる。

T-Gem「A」に、２～３mの２本のリード線をセットして、その先をもう１台のT-Gem「B」に接続する。ここで長いリード線、たとえば5～10mのものを使うと、さらに印象的な実験になる。

「A」のハンドルをゆっくりと時計方向に回す。すると他方の「B」のハンドルが回転をはじめる。「A」のハンドルのスピードを上げていくと、「B」も速く回りはじめる。

ハンドルを逆に回すと、もう片方も逆に回転する。「A」のハンドルを止めると、「B」のハンドルもストップする。つまり「A」は発電機であり、それに接続された「B」は電動機（モータ）になる。

つぎに電動機になった「B」のハンドルを回すと、今度は発電機だった「A」のハンドルが回転して電動機に変わる。すなわち１台のT-Gemが、ハンドルを回すと発電機であり、外部から電気を供給すると電動機になる。

このような機構は可逆機構（reversible mechanism）と言われている。少し飛躍するが冬用コートで両面が使えるものがある。それをリバーシブル・コートと言うことと共通している。

この実験は、従来はここに述べたようなシンプルな実験ではなかった。本格的な回転計、電圧計、電流計などの高価な計測器を駆使する実験であり、工業高校か大学の理工系の基礎実験でしか扱わないものだった。

T-Gemのおかげで、これまで小中学校レベルではできなかったチャージ（充電）と放電の実験が１時間の授業時間中、わずかな材料だけで繰り返して納得できるまで実験・観察できるようになった。STEM教育の基本を小中学校で実験できるようになったのである。

高度なレベルに共通する科学・技術概念を、スマホに慣れた小中学生たちがシンプルな機材を使って自分の手で実験し観察できる。それこそ、STEM教育として取り組みたいことである。

このような経験をした子どもたちが、その先の高校や大学において高度で専門的な科学・工学・技術を学び、未来のイノベータとして活躍することが期待される。T-Gemは、この点でも革新を起こしたと言える。

一人ひとりが自分の手まわし発電機、つまり日本ではゼネコン、タイではT-Gemを手にした。さらに広い高い立場から見ると、STEM教育の推進、特に基礎レベルの電気実験とモノづくりの取り組みに、つぎに述べるような画期的な役割を発揮する。

STEM教育の展開と電気実験のモノづくり

続く5章では、「パワーアップ」プロジェクトのモノづくりを具体的に紹介する。

そこで、それに先立ってSTEM教育のテーマを「基礎レベルの電気実験」とした時、これがSTEM教育で目指す「モノづくり」に、どのような関わりを持つか。そして、この二つの要因は、私たちの身近なところで発展を続ける「電気・電子・通信の技術」といかに関わるのか、つぎの図4-1で、この三者の関連性を考えておきたい。

本書は、STEM教育に取り組むには「電気」が欠かせない題材であるという立場を取っている。

「電気」は、家庭の電化製品だけにかぎってみても、多彩な応用がされている。そのバラエティのあるフィールドを図4-1のように横軸と縦軸で考えてみる。

横軸を「電気を使う」レベルとする。縦軸は、STEM教育に共通する「モノづくり」のレベルとしてみよう。

こうすると、タイ製の手まわし発電機T-Gemは、乾電池と豆電球と同

図4-1　２つの軸の広がりとSTEM教育の題材の概念

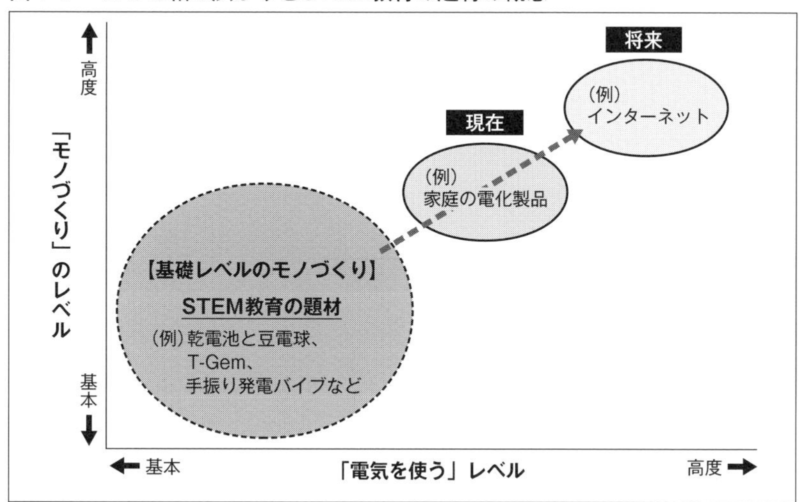

じように「基礎レベルのモノづくり」と「電気を使う」活動の原点にあることがわかる。

この基礎レベルの「モノづくり」から上に向かうと、本格的で専門的な道具や装置を使うもの、そして高度なコンピュータ制御やロボット技術、さらに微細な世界で言えばナノ・レベルの先端ハイテクを駆使するものまで、実に多種多用な「モノづくり」を位置づけることができる。未来の社会で電気・電子技術が研究開発される広い世界に進んでいく。

このような「電気」と「モノづくり」の基本的な座標を用意しておくと、目の前に展開する状況を俯瞰(ふかん)的にとらえやすくなる。

基礎レベルの電気実験では「小さなモノを大きくつくる」、これが決め手である。まずは、乾電池と豆電球の実物模型からはじめてみたい。

5章

小さいモノは、大きくすれば素敵になる

【プロジェクト2】乾電池と豆電球の大型模型を作る

初歩の実験は、乾電池と豆電球ではじまる

乾電池は誰でも安全で扱いやすく、安価でどこにでも売っている。豆電球も電気ショップで懐中電灯用に売っている。乾電池と豆電球は入手しやすく、最も単純な電気の回路を学ぶのに好都合とされ、これまで長く初歩の実験材料とされてきた。

初歩の理科実験で使われるのは、太い単１乾電池である。これをソケッ

写真5-1　右から単１、単２、単３、単４乾電池

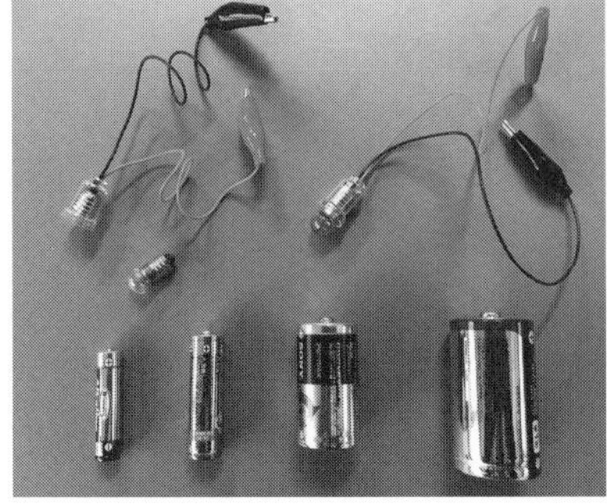

写真5-2　乾電池で豆電球をつける

トにセットした豆電球をつなぎ、点灯実験をする。子どもなら誰でも大喜びする実験である。その子どもたちの学習風景を見て、優れた理科学習だと判断されることが多かった。

ただ、ここで最も大切なのは１個の乾電池で１個の豆電球をつけることが、乾電池のプラス（+）から出た電気の流れていく経路（回路）をたどる基本であるということだ。回路（サーキット、circuit）を作れば、その中を電気は流れる。しかし、どこか１カ所でも途中で回路が切れれば、電気は流れない。このことを学ぶのである。

ところが現実の理科の学習時間には、子どもたちの興味・関心の高まりに気を取られ、この要点が認識されないまま、うやむやで終わることが珍しくなかった。最初の実験で、きちんとしたスタートをしないまま進むと、それが後に電気の学習を苦手とする事態が生じる原因になる。

乾電池には突起のプラス（+）と底面のマイナス（−）がある。外側には（+）と（−）も明示してある。ここにリード線が触れると、豆電球が点灯する。誰もが幼い時の忘れがたい経験として思い出されるだろう。

この経験を上手に伸ばすと、決して電気が苦手とはならない。その伸ばし方が真剣に工夫されてこなかったことが、電気を苦手とする人が多い原因だった。

乾電池と豆電球の大型模型を作れば、豆電球のリード線を指で押さえる必要はない。先生は黒板から離れて、生徒たちの机の間を回り、教室の後方からでも子どもたちの指導ができる。

大型模型は電流の流れを明確にするために、電流がたどる順を番号ラベルでディスプレイする。それが68ページの写真5-4である。

乾電池（①）のプラスからスタートして、豆電球（②）の突起にすすむ。フィラメント（③）を通過すると豆電球の口金に到達する。そこからリード線（④）の接続している部分を通過して、乾電池（⑤）のマイナスにゴールする。これで回路になる。

この途中のどこかで接続が切れると、電気の回路は切れる。つまり電気

写真5-3　「パワーアップ」の乾電池と豆電球模型

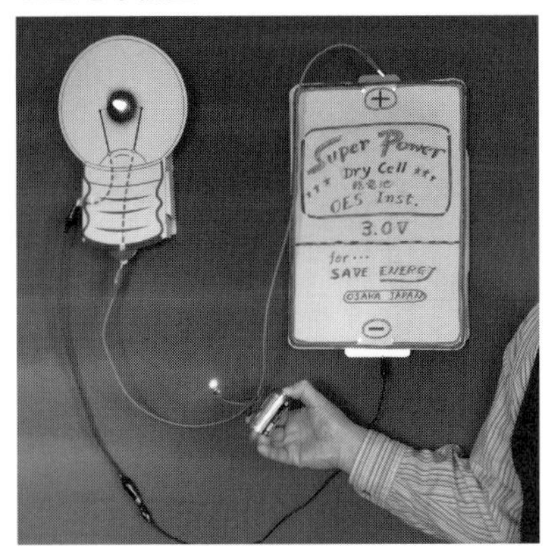

写真5-4　電気回路を示す番号表示と実験

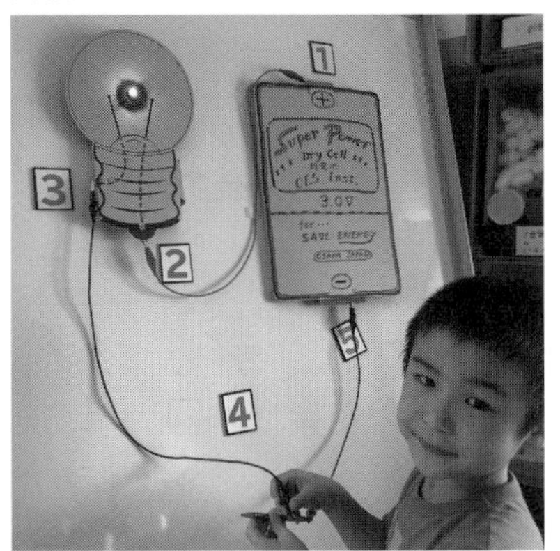

は流れなくなる。これは、川の水の流れにもたとえることができる。

このような説明は理科を教える先生たちにとっては、あまりにも当たり前のことで、そのため多くの先生たちが、この部分の大切さを見落としてきたのだ。

だが、階段は１段ずつしか上がれない。最初に上がる１段目の基本になる電気の回路の概念の理解ができれば、その先に進みやすくなる。

写真5-4で、[4]の部分に注目してほしい。ここで豆電球の口金からのリード線と、乾電池のマイナス（−）に接続するリード線をワニ口クリップで接続している。この個所の接続を外したり、つないだりするとスイッチの働きをする。

この部分には、身近な材料を接続することで、電気を通すもの（導体）と電気を通さないもの（不導体）があることを学べる。それを実験・観察するための接続ポイントとして使うのである。

【プロジェクト２】乾電池と豆電球の大型模型を作る

準備１　材料を集める

３日目のプロジェクトは、乾電池と豆電球の大型模型を作ることである。まずは材料を準備する。模型の素材は、さまざまな素材を試した結果、厚手のダンボールを使うことにした。その理由は第一に加工のしやすさ、第二は手触りの良さである。これなら自分で作ってみようという気分になる。

この制作活動は図画工作の時間、中学校なら技術・家庭の時間に子どもたちが取り組むことを勧めたい。子どもたち自身が制作した大型模型で実験をするのである。図画工作や技術・家庭と理科の２つの教科の横断的な取り組みがSTEM教育で必要とされている。ここでも問題は何を使って、いかに取り組むかという具体的で現実的な発想である。

実験機材の専門メーカーでは、プラスチック板か金属シートを使おうとする。ダンボールは使わない。そのほうが長持ちするし、ダンボールでは価格を高くは設定できないからだ。

しかし、ここに発想の違いがある。STEM教育は、みずからモノを作ることが基本ではないか。与えられた既製品を使うのは、やむを得ない場合にかぎられる。そうでなくては独創性も創造性も発揮できない。

乾電池の大型模型だけではなく、後に続く事例でも専門メーカーが制作する実験機材とは、基本的な発想が違う。専門メーカーも教育企業として、先生たちと子どもたちに役立つ製品を目指して開発をしているが営利目的が前提になる。高い付加価値の製品となって、手作りするより高価格になるのは当然である。

ここで、乾電池と豆電球の大型模型を制作する材料と道具をリスト・アップしてみよう。

［材料］ビニル線、銅板、ワッシャ、アルミリベット、鉄板など

［道具］接着剤、両面テープ、ハンダ付け用具一式（ハンダとハンダごて、スタンド）、ビニル線をカットするクリッパ、ハンマー（金槌）、ものさし、鉛筆など

これ以外にも、銅板に小さな穴が開いていないものを使う場合には、自分で穴を開けるために電動ドリルが必要になる。同じ金属でも熱すると溶

けて液状になる合金のハンダがある。アルミリベットのようにハンマーで打つと形を変える軟らかな金属がある。逆にステンレス・ワッシャのように熱にもハンマーにも強い金属がある。このように、実にさまざまな材料と道具を使う。モノづくりのプロセスで、スマホやタブレットをタップするだけでは学ぶことができない多彩な経験をするのである。

準備２　モノづくりの基本スキルを駆使

大型模型の望ましい大きさは、縦40㎝、横60㎝ほど。これに見合ったダンボール・シートを用意する。

たとえば梱包を解いた時の空き箱などをカッターナイフで切り出し、平面状の板紙とする。その中央に幅２㎝ほどの間隔で筋を入れ折り曲げる。その幅２㎝が部品を取り付ける厚みとなって、片方は表紙に、もう片方は背後の土台になる（写真5-5）。

これに続く制作プロセスはつぎの通りである。

①乾電池の模型の土台となる側のダンボールの中央に、単３乾電池２個用のボックスを接着剤または両面テープで固定する。

②乾電池ボックスにセットする２個の乾電池は、直列接続になることを確認する。乾電池ボックスのプラス（＋）とマイナス（－）に20㎝ほどのビニル線をハンダ付けする。

③ダンボールの土台の上端に乾電池模型のプラス（＋）ターミナルに模した小振りの銅板または亜鉛板、下端にマイナス（－）ターミナルに模した大振りの銅板または亜鉛板を、それぞれ接着剤で固定する。

「パワーアップ」プロジェクトでは、かぎられた時間で制作し、すぐに実験に移れるように、参加校には事前にカットアウトしたダンボールを配布した。写真5-6に示したものである。

この準備作業のプロセスは、つぎの通りである。

①あらかじめカットした大小の銅板に２カ所の小さな穴をあける。②この２カ所の穴にワッシャをセットし、アルミリベットを差し込む。③ワッ

写真5-5　乾電池模型と豆電球模型、それぞれの内側

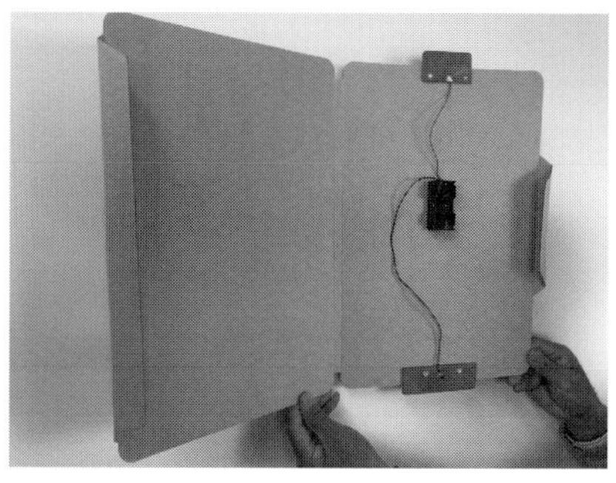

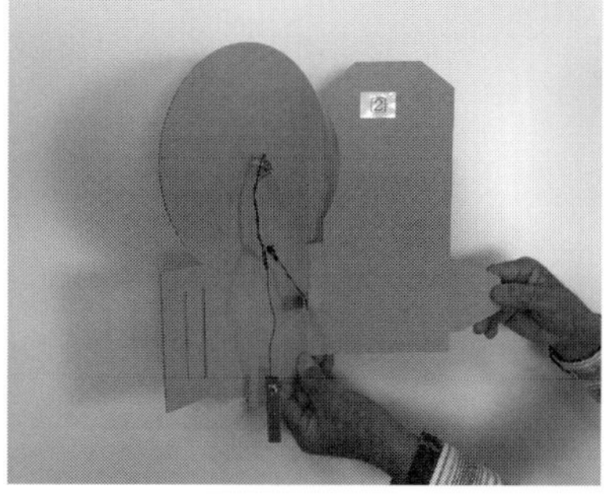

シャから突き出たアルミリベットを1㎝ほどの厚さの鉄板に乗せて金槌（ハンマー）でたたく。④ダンボール紙に固定した乾電池ボックスのプラス（+）のリード線を上端に取り付けた銅板に、マイナス（−）のリード線を下端に取り付けた銅板にハンダ付けする。

このステップの後、ダンボールの表紙側に描画する前に豆電球が点灯するかチェックしておきたい。

なお、豆電球模型の作り方は、巻末の参考資料7に記している。

写真5-6　乾電池模型と豆電球模型のカットアウト例

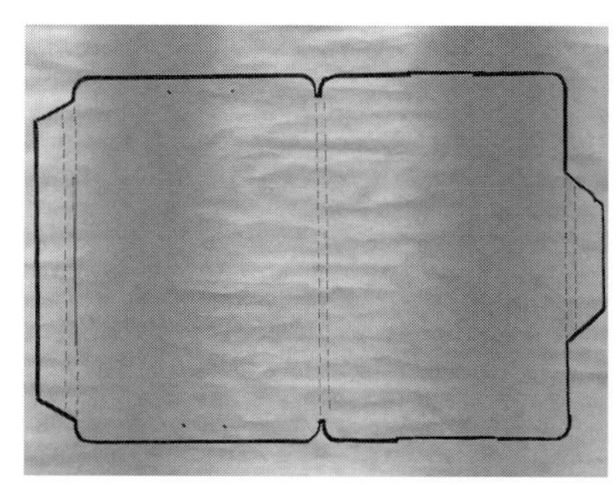

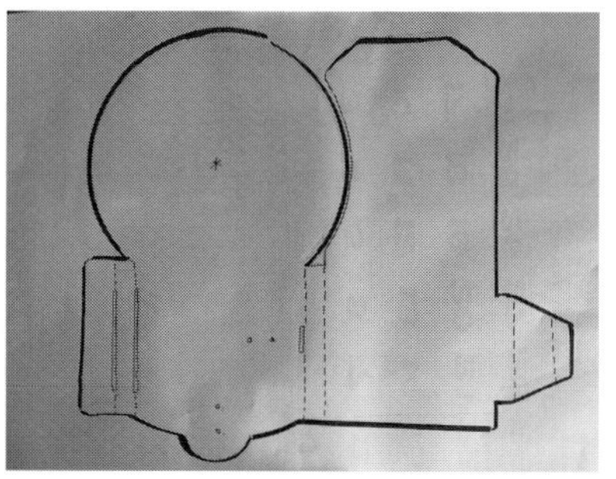

乾電池型は縦約40〜45㎝、横約60㎝。豆電球模型は縦約30㎝、横約60㎝のダンボール・シートを使う。ただし、このサイズや形にとらわれないで、大きな薄い空き箱など身近な材料を工夫してみたい

準備3　さまざまな材料の使い方を学ぶ

実験にかぎらず電気を扱う時、ビニル線は最も頻繁に使う材料である。

写真5-7　家庭の電化製品のコード

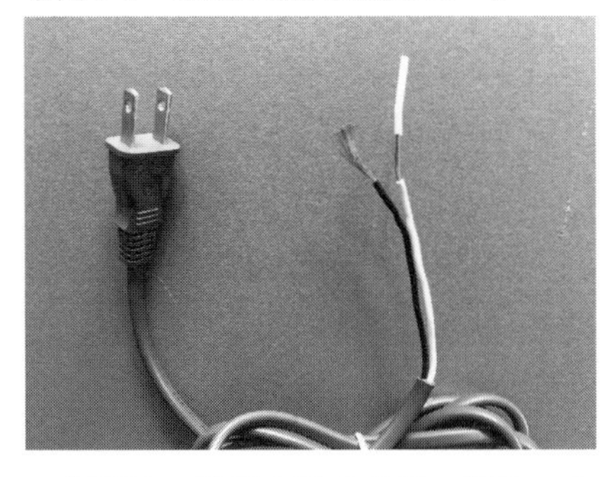

ビニル線の構造は、電気を学ぶ基本の一つとして欠かせない。

ビニル被覆（不導体）の中に銅の芯線（導体）がある。芯線は太糸ほどの細い銅線が７～10本くらい使われていて、外側のビニル被覆で保護されている。外側のビニルは絶縁物だが芯線になっている銅線は、電気を通す良質の導体である。

このビニル線を中の芯線の細い銅線は切らないように、被覆のビニルだけをクリッパではがす。これが意外とむずかしい。はじめは何度か失敗するものである。だから余分のビニル線で練習するとよい。

何本もの銅線（導体）を白と黒のビニル（不導体）が包んでいる。外側に損傷を受けないよう別のビニルが保護している。

「パワーアップ」プロジェクトでは、はじめて経験する先生たちも多く、練習材料を用意して、何度か練習してもらった。「練習は完全をなし得る(Practice makes perfect)」はスポーツだけではない。

１本のビニル線の両端の被覆を２㎝ほどはがし、その部分にワニ口クリップを固定する。ここでもハンダ付け作業をする。ワニ口クリップにビニル線の先端に顔出しした銅線をハンダ付けする時、ちょっとした困難がある。ハンダ付けする金属部分に、薄いオイルがついていることが多い。その部分にそのままハンダ付けするのはむずかし

写真5-8　大型模型の乾電池と豆電球で実験する材料

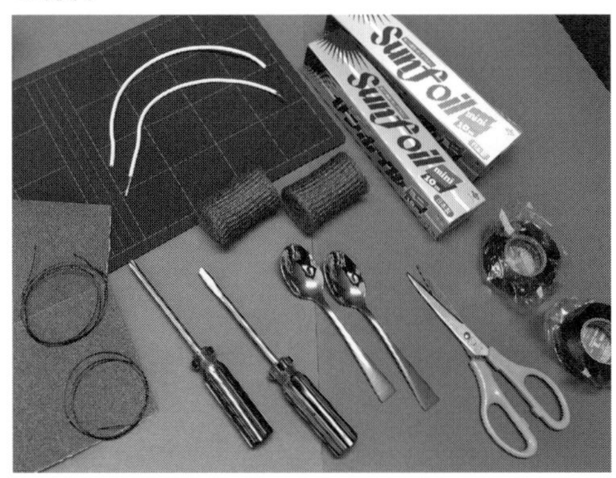

いことがある。

ワニ口クリップにかぎらず、材料とする金属板には気づかないほど薄いオイル状の部分があることを意識して、ハンダ付けするにはそれを紙ヤスリで「ちょこっとだけ」磨いて取り除くとよい。面倒な作業だが、こうするとハンダ付けが格段に楽になる。

また、ワニ口クリップを使うことにこだわる必要もない。たとえば大型のペーパークリップでもスチール製のように電気を通す素材のものならば使える。そのような実情に応じた即興的な応用力を発揮してもらいたい。

手順だけ読むと、なんだか厄介なものに思われるかもしれない。なかでもワニ口クリップの取り付けは、慣れないうちは少し厄介かもしれない。しかし、これも少し慣れればハミングしながらでもできる作業である。

基礎的な道具でモノづくり経験をする大切なステップなので、子どもたちは、早いうちに経験するのが望ましい。後になると、ますます億劫(おっくう)になって、もはやモノづくりは苦手という考えが定着してしまう。そうなっては、未来のイノベータを育てることからも遠ざかってしまう。

実験　導体、不導体、絶縁物、そして半導体を区別する

ここで紹介している乾電池と豆電球の大型模型には大きな特色がある。電気を扱ううえで欠かせない「導体（conductor）」と「絶縁体（insulator）」を区別する実験に、極めて効果的に使えるのだ。

68ページの写真5-3と写真5-4のように、大型の乾電池と豆電球模型の回路を黒板にディスプレイする。その回路の途中に、身近なモノを接続する。豆電球が点灯するか、点灯しないかによって身の回りにあるさまざまなモノに、電気を通すものと通さないものの2つがあることを、学級全体で観察できる。

写真5-4は、保育園児が鉛筆の金属キャップを使って実験している様子である。この実験は学習意欲の低い子どもや、理科が苦手という子どもに演示させると効果的である。この実験をした子どもたちは、きっと良い刺

激を得て、意欲が改善し、理科好きになっていくだろう。

身近にあるモノ、たとえば生け花に使うハサミなどは金属がむき出しのものが多い。これならハサミ全体が電気を通す。一方、工作用ハサミは金属部分が電気を通すが、プラスチックの保護部分は電気を通さない。

「ものさし」であれば、プラスチック製なら電気を通さない。スチール製は電気を通す。

電気を扱う工具で最もポピュラーなネジ回し（ドライバー）は、先端部分は金属であるが、手で握る部分はプラスチックか木製など電気を通さない絶縁体が使われている。

家庭のコンセントから延長コードを使うこともある。そのコードはビニル被覆、つまり絶縁物でカバーされているが、芯の銅線は電気をよく通す導体である。

銅線がむき出しになる部分に巻きつけるビニルテープは、絶縁テープとも言われるように絶縁物である。

また、エナメル線も試しておくとよい。銅線の表面に薄いエナメル塗料が熱処理して塗布されていて、これが薄いけれど強力な絶縁体となって銅線に流れる電流を保護している。そのため狭いスペースにコイル状に密着して大量に巻きつけて使用することが可能であり、前にも書いた通り、発電機とモータになくてはならない役割を果たしている。

後の実験で、エナメル線を巻いてコイルを作る作業を行うが、その際、両端のエナメル塗料を紙ヤスリではがしてハンダ付けする場面がある。この時、エナメル塗料を紙ヤスリでこすってもなかなかはがせないのは、薄いエナメル塗料が効果的に絶縁の役目をしているからである。

ここでは使わないが、導体と絶縁物との中間に半導体（semiconductor）がある。これは条件によって導体にも絶縁物にもなる。トランジスタなど、電子回路で重要な役割を果たす半導体は多種多様なものがある。

即興的な対応は、イノベータの基礎能力

乾電池と豆電球の大型模型を作るためのプロセスは以上の通りである。ここに記している通りの材料や工具が見つからないこともあるだろう。そのような時は代替案を考え、別の工夫をすることも必要である。

たとえば銅板や亜鉛板が無ければ、料理用のアルミホイルで代用できる。アルミホイルは薄くて破れやすいが、二重にすれば乾電池模型のプラスとマイナスのターミナルに使える。また、アルミホイルはリベットやワッシャを使わなくてもダンボールの土台に貼り付けて固定でき、工作作業が楽になる。

マニュアルやガイドブックにとらわれすぎないで、それぞれの状況に見合った対応をしたい。身近に使えるものを利用し、先生も子どもたちも柔軟に考える。それこそがイノベータとしての基礎的な能力になる。

配布したカットアウトはサンプル提供のため

「パワーアップ」プロジェクトでは、前述のように参加者たちに事前にカットアウトしたダンボールを配布した（71ページの写真5-6参照）。かぎられた時間のなかで制作活動を終えて、作った模型を使った実験に時間をかけるため、やむを得ないことである。

もし時間に十分な余裕がある時や生徒たちが制作活動する時には、素材探しからはじめて、寸法を考え、自分たちでカットアウトを作る段階から取り組むことが望ましい。

プロジェクトでカットアウトを配布したのは、あくまでも時間を効率良く使うためと、サンプルを提供するためだった。この点は参加者にも説明し、実際の授業では、担当する先生が計画して自由に取り組んでほしいことを伝えた。

モノづくりのノウハウ「箱は作るな、箱を使え」

モノづくりに不慣れな人が陥りやすい傾向として、つぎのようなことがある。たとえば箱を作る時に一から取り組もうとする人が多い。悪いことではないが、箱から作っていては時間も労力もかかる。手近なところにある空き箱を探して、適当なものを使えばよい。スーパーに行けば大小さまざまなプラスチック製の保存容器を低価格で売っている。それらを使うと、箱を作る手間が省ける。箱を作ることだけで疲れて、せっかくの着想も実現しないで諦めることになっては本末転倒である。

モノづくりが勧められるからと言っても、何から何まで自分で作る必要はない。使えるものは活用し、思い描いているモノを手早く作って完成させる。手早く満足を得ることがモノづくりのコツである。

たとえば口絵の写真で、タイの子どもたちがT-Gemに接続しているLED電球と白熱電球の比較実験台は、プラスチック製の保存容器を使っている。フタに穴を開ける時はハンダごてを使う。熱くなったハンダごての先を当てるとプラスチックは簡単に溶ける。

この方法は、好きな大きさの穴開けにも重宝する。針金の細い線を通す小さい穴もハンダごての先端をちょっと当てるだけで開けることができる。もちろん電動ドリルがあれば、大きさの揃ったきれいな穴を手早く開けることができるだろう。

乾電池と豆電球の大型模型で使うワニ口クリップにしても同じである。前述したように、大型のペーパークリップならワニ口クリップの代わりになる。身近にあるものを使うのである。先生も子どもたちも即興的に代替案を考えて試してみる。これもイノベータを育てるノウハウである。

実験の準備の段階から、先生たちにとっては慣れないことが多い。しかしたとえ悪戦苦闘しても、この大型の乾電池と豆電球を使う実験をすると、どんなに子どもたちが興味と関心を持つか。その様子を見る時、苦労は必ずむくわれる。

6章

想像をかき立て、新しい工夫を考える

【プロジェクト3】手振り発電パイプ

T-Gemが無くてもできる発電実験を

4日目の「【プロジェクト3】手振り発電パイプ」は、とんでもない挑戦である。なにしろ発電所にある巨大発電機の発電の仕組みを、自分の手で電気を作り出す手振り発電パイプに凝縮するというプロジェクトである。

ここで扱う電磁誘導現象は、マイケル・ファラデーによって1831年に誘導現象として発見されたとされ、彼の名は電気を使うかぎり残り続ける。この段階では、コイルに発生する電気（起電力）はコイルの巻き数に対応すると理解しておきたい。

4章【プロジェクト1】で紹介したタイ製手まわし発電機T-Gem。これはハンドルを回してLED豆電球を灯すことができる。このアイテムのおかげで、それまで厄介だった電気の実験は断然容易になった。

続く5章で紹介した【プロジェクト2】では、大型の乾電池模型と豆電球模型を作った。モノづくりのプロセスを経験し、その楽しさが実感できる。だが、ここまでは、まだレッスン1である。

これらの実験は日本の学校なら、市販の手まわし発電機ゼネコンを購入すれば取り組める。だがタイの学校に普及するには、現在のところバンコクのIPST研究所がT-Gemを制作して送ってくれないと入手できない。

まずは、今回「パワーアップ」プロジェクトに参加した学校からスタートして少しずつ普及させるとしても、大量生産されて各学校に行き渡るようになるには時間がかかる。タイ教育省やユネスコの東南アジア文部大臣機構（SEAMEO）が財源を確保して、早期に有効な対応をしてくれることを期待したい。

だが、それを待つ間にできることもある。それは手振り発電パイプを作ること。それを使って自分の手で発電し、多彩な実験・観察を楽しむこと。それが【プロジェクト3】である。そして、この手振り発電パイプの実験は、ゼネコンが入手できる日本の学校でもSTEM教育を推進するうえで絶大な効果が期待できる。

手振り発電パイプの構想

身近な材料を使って、自分の手で発電できる道具を作りたい。それは、長い間、私が温めてきた構想である。

この構想こそ「パワーアップ」プロジェクトの目標である、今日のICカードで実現している先端技術の非接触給電システム、そのモデル実験ができるという見通しにつながる。多くの人たちがポケットに持っているICカード、その原理が実験できればSTEM教育の理念である現代の先端技術の発展につながる題材として扱うことができる。

いま一度、65ページの図4-1を見ていただきたい。科学技術は基礎から応用まで細切れではなく、関連し連続している。「パワーアップ」プロジェクトは基礎レベルの電気・磁気の題材による実験と観察を基本レベルのモノづくりの活動と関連して展開する構想である。

いまではICカードを入れた財布をかざすだけで駅の改札口を通過できるし、スマホをかざすだけで代金を支払うことも珍しくない。まだ紙オムツをしている孫が、まわらぬ口で球体のスピーカーに「アンパンマン、かけて」と命じると、たちまち部屋中ににぎやかな曲が広がる。

私たちの身の回りでは、少し前には思いもつかなかったような変化が生じている。それらを生み出しているのはエレクトロニクス技術である。そこに共通する基本原理をたどっていくと、誰でも一度は名前を聞いたことがある英国人科学者マイケル・ファラデーに行き着く。

「パワーアップ」プロジェクトで扱う実験・観察では、ICカードの原点である1831年にファラデーが誘導現象を発見した実験まで到達したい。それを実現するのが、手振り発電パイプである。それは意外と簡単なことで、パイプにエナメル線を巻き、その中で磁石を動かせば、ファラデーが行った実験として再現できるのに違いないのである。

想像力を発揮しながら、シンプルなモノを目指す

実際の水力発電所などの巨大な発電機は、耳をつんざくような轟音(ごうおん)をあげて高速回転している。そして遠隔地の都市にある何百万もの家庭まで電気を供給している。写真6-1は、発電機の回転部分（回転子、ロータ）を巨

写真6-1　発電所の発電機の点検作業

四国・吉野川水系の本川発電所のメンテナンス風景
出典：『ライト＆ライフ』2019年５月号（四国電力株式会社）

写真6-2　自転車の発電機

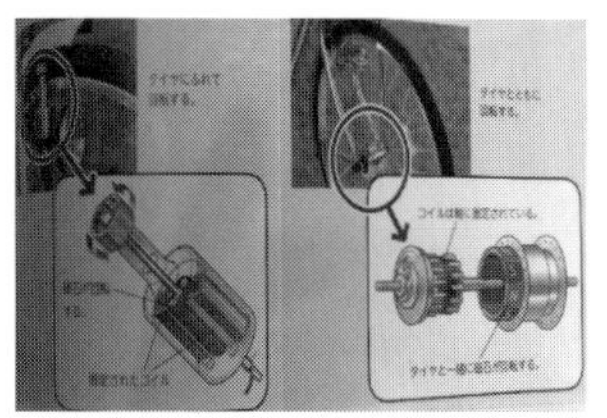

出典：中学校理科教科書『未来へひろがるサイエンス２』（啓林館、2021）

大なクレーンで吊り上げてメンテナンスしている様子である。

写真ではロータの周辺のステータ（固定子）の回りにいる数人の作業員が小さく見える。

巨大発電機のロータもステータも、想像を絶する大きさで複雑な構造をしている。そのまま見るだけでは、とてもわかりにくい。しかし落ち着いて構造をたどってみると、膨大な量のエナメル線を使ったコイルと磁石、実はこの２つに集約される。

その構造をどんどんシンプルにしていくと、その段階で身近な自転車のライトの発電機に行き着く（写真6-2）。自転車の発電機も、その構造物はエナメル線と磁石である。それなら、さらに単純なものを作ることができるのではないか。

写真6-3は、私とアシスタントの梅野仁夫で作った手振り発電パイプである。写真6-1の発電機と比べると、文字通り「雲泥の差」以上の違いが

写真6-3　手振り発電パイプとLED豆電球台

手振りすると机の上の４個のLEDが点灯する

写真6-4　私の発電機!!

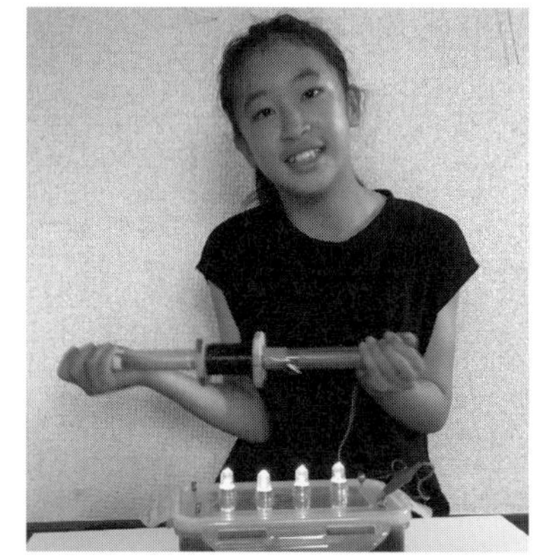

大阪泉佐野のOES研究所でモデルをした東ほのみさん（泉佐野市立上之郷小学校６年生、撮影時）

ある。しかし、共通点もある。

コイルを巻いたパイプの中に磁石を入れて、パイプを振る。するとコイルの両端のリード線につないだLED豆電球が点灯する。それだけの単純なものである。でも、これは巨大発電機の発電と原理は同じなのである。

【プロジェクト3】手振り発電パイプ

試作　自分の手で電気を起こせるモノを作りたい

先の【プロジェクト2】で、ふだん見慣れている乾電池と豆電球の大型模型を作って実験を行った。

大きな実用模型を使用し、迫力ある鮮やかな実験をすると、子どもたちの実験作業も活発になり、理科嫌いになりやすい子どもたちを救う決め手になる。先生たちも大きなサイズの実験器具は扱いやすく、収納や取り出し、点検も楽にできる。先生が楽しく指導できると、子どもたちも楽しく学ぶことができる。これは先の実験で実証している。

だから、手軽に入手できる材料を使って、できるだけ大きなサイズの実験器具を作りたい。

そうして考案したのが「手振り発電パイプ」と呼んでいるものである。これは長さ30㎝くらいの透明パイプの真ん中にエナメル線を巻きつけたものである。巻きつけるエナメル線が崩れないように、2個の木のツバを固定してストッパーにしている（写真6-5）。

巻きつけを終えたエナメル線の両端にLED豆電球をつなぎ、パイプの中に丸

写真6-5　手振り発電パイプの制作過程

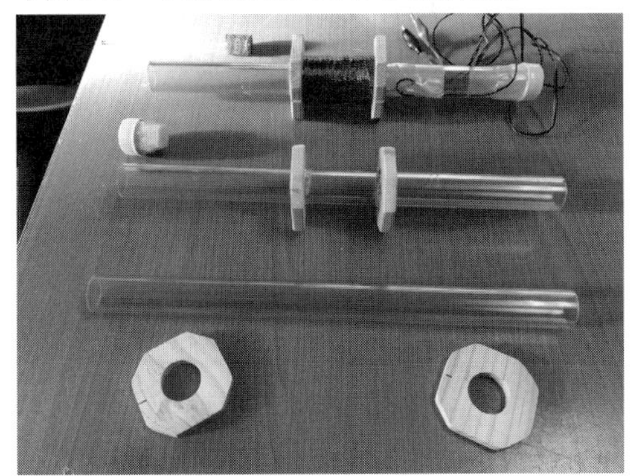

手前の穴の開いた部品は、パイプに固定し、ストッパーとする。その部分にエナメル線を巻く

型磁石を入れ、両端に栓をする。このパイプを手で持ち、パイプ内の磁石が動くようにパイプを左右または上下に振るとエナメル線と磁石の相互作用、つまり電磁誘導現象で電気が起こり、LED豆電球の明かりがともる。

これで、発電の原理がわかる。最もシンプルで印象的な実験である。

水力や火力発電所、そして原子力発電所で轟音をあげて動いている巨大な発電機でも、磁石とコイルが使われている。同じ原理を手作りの機材で実験し、観察できるのだ。

実験器具を両手で持てるサイズにすれば、より印象的な実験ができる。既製品を使うのではない。STEM教育だから、以下に述べるように実験機材を手作りするプロセスを経験したい。

ダイソーで見つけた強力磁石

少し話はそれるが、2017年の春、大阪の私の研究所では「手振り発電パイプ」の試作を続けていた。その頃、梅本仁夫が週に1回来て手伝ってくれていた。思い返すと、この年こそ、それまで手がけ続けてきた実験材料の準備と調達が飛躍した年となった。

透明パイプはアクリルよりも塩化ビニル製が低価格である。太さ26㎜で内径は20㎜。これなら手で握ってもしっかりしている。大型の日曜大工店で売っているものを適度な長さにカットしてもらって車で持ち帰り、それを金ノコで長さ約30㎝ずつにカットする。この長さは子どもがよく使うものさしの長さである。

写真6-6　手振り発電パイプに使う磁石

パッケージから取り出した5個を1組として薄いテープで巻いて使うことにしている

問題は、このパイプの中

に入れる磁石である。

パイプの中央部分に巻きつけるコイルとパイプの中に入れる磁石の間隔が狭いほど電気は起こりやすい。

さらに磁石が強いほど効果的である。だから強力な磁石がほしい。理科の実験機材としてカタログに掲載されている磁石は1個あたり数千円もする。試作に使うにしても、先生たちや子どもたちが気軽に実験するには手を出しにくい。

材料探しは私と梅本にとって息抜きの時間で、100円ショップのダイソーの店内を見て歩くことが多かった。そこで、ついに磁石を見つけた！　なんと20個入り、たったの100円（当時）。ボタン電池のような平たい丸型である。

しかも用意していたパイプに、まるで注文したようにぴったり入る。パイプを手で左右に振ると、中に入れた丸型磁石も実にスムーズに動いてくれる。これなら5個を1組にしてパイプに入れると、コイルの両端につないだLED豆電球が点灯する！　これで一件落着、となったのは日本国内でのことである。

その年の秋、私は例によって「紅葉が色づく頃に出かけ、桜の頃に帰国する」を原則にしてきたようにバンコクに出かけた。この時は、なんとその年に3度目となるタイ行きであった。

アユタヤ地域総合大学ARUの研究室に滞在することに加えて、思わぬところから仕事を引き受けることになった。それはバンコク中心部にキャンパスを構える教育系の国立大学で有名なシーナカリンウィロート大学SWUの附属PDS校で、教育実習前の大学生たちを対象に5日間の集中講義をするというものである。

この時、私は関西空港から出発する航空機の荷物に、違反しないように配慮した数のダイソーの丸型磁石を入れていた。

SWUの集中講義の後、年末からはアユタヤARU大学で、地域の小中学校の先生たちに2日間のワークショップの計画がある。できれば、そのプログラムにもこの磁石を使ってみたいと思っていた。

タイにもダイソーがあった！　そして強力磁石も！

そんなわけで、首都バンコクのSWU大学のキャンパスに出入りする日々も、バッグの中にダイソーの強力磁石の空パッケージを持ち歩いていた。と同時に、ダイソーがタイでもオープンしたという噂を耳にしていた。

高架鉄道であるバンコクのスカイトレイン（BTS）は、主要道路のスクンビット通りを走る。そのトンロー駅は10年前の2007年から２年間アパート暮らしをした時、いつも乗り降りしていた。トンロー駅の一つ先のエカマイ駅には、40年も前から頻繁に行き来してきたIPST研究所がある。私がSTEM教育センターでシニア・エキスパートをしている白亜の瀟洒（しょうしゃ）なUNESCOビルもすぐ近くである。

歩き慣れているエカマイ駅に巨大な複合ビル「ゲートウェイ・エカマイ」があり、日本のスーパーのチェーン店や日本食のレストランがある。頻繁に来たことのあるそのビルで、それまで気づかなかった日本と同じ「ダイソー」の看板を見た時は、「あっ、あった！」と声を出すほど驚いた。

店員に磁石のパッケージを見せて、同じものがあるかどうかを尋ねた。マネジャーにも確かめてくれたが、エカマイ店には置いていない。しかしバンコクだけで、ダイソーが４店もあるという。確かめてくれるように言ったが、私のたどたどしいタイ語のせいもあって、らちがあかない。他の３カ所の店の所在地を書いてもらうのが精一杯だった。

ただしタイのダイソーは100円ショップではない。タイ通貨で60バーツ均一店である。これは日本円で約200円。およそ２倍の値段である。それでも、強力磁石20個入りだから、気安く実験に使うことができる。

つぎの休日、一日を費やして南国の暑い日差しのなか、汗を流しながら歩き回った。３カ所のダイソーを巡り、その一つで日本のパッケージと同じ強力磁石を見つけることができた。

その後、この年４度目となるタイ滞在の12月、今度はARU大学の研究室に落ち着いた時、アシスタント役をしてくれる准教授のワチラ女史にバンコクでの磁石探しの話をした。彼女は、なんと「ダイソーならアユタヤにもある」と言うではないか。さっそく彼女の車で近郊のショッピング・コンプレックスに出かけた。

バンコクで手に入れたパッケージを見せて、取り寄せてくれるよう注文した。これでほぼ間違いなく強力磁石を現地調達できる見通しとなった。

コイルにするエナメル線の30kg巻き大型ドラムと透明塩化ビニルパイプは、やはりワチラ女史の手配で近くの電気機材店と水道工事店が取り寄せてくれることになった。

タイ滞在は身を救う！　かくして長年の思いを叶える材料の調達の見通しがたったのだった。

ただし、以上はワークショップで参加者に手振り発電パイプを見せる裏話、舞台裏の事情である。料理教室で言えば、食材の調達と下ごしらえの準備や手順である。

ワークショップに参加する人たちに、はじめて手振り発電パイプを見せる時、どう見せるか。それがワークショップを実施する大切なノウハウの一つになる。ふつうの授業のように半年間、あるいは１年間を続ける悠長な展開はできない。数日間の実施で一通りのプログラムを終えなくてはならない。そのため、当日は食材の調達や下ごしらえの話をしている余裕はない。

新しい料理を作る場面で、まずその料理を見せる。そして試食する。それが決め手になる。同じようにワークショップでは、まず制作した手振り発電パイプを見せる。そして、すぐに実験に進む。作り方の解説は、その後のことになる。

手振り発電パイプのデモンストレーション

４日目のプログラム、それが手振り発電パイプの制作と実験である。実際の状況を確認したうえで、つぎのような入り方と説明をする。

最初に完成した手振り発電パイプの５種類のサンプルA、B、C、D、Eを見せる（写真6-7）。これらのサンプルは、時間を効果的に使うために、事前に私たちが準備したものである。外観は共通していて、サイズも同じである。コイルの巻数だけが異なる。

５種類のサンプルは、いずれも透明パイプの中央部分にエナメル線を巻いている。エナメル線の分量は、サンプルAが最も少なく、サンプルEが最も多く巻いている。

エナメル線の太さは0.6㎜。パイプの厚さは1.5㎜。つまりコイルと磁石の間に厚さ1.5㎜の透明プラスチックのパイプがある。

パイプに丸型磁石を入れて栓をし、コイルの両端をLED豆電球に接続する。そしてこのパイプを手で振った時、コイルの中を磁石が通過してLEDが点灯するに違いない……と予想して制作したものである。

ここで参加者に質問する。

「いったい、どれくらいの回数コイルを巻いたらLED豆電球が点灯すると思いますか？」

この質問に対する回答は、簡単に三択とする。「①100回くらい、②300回くらい、③500回以上」のうちから選んでもらう。これはコイルの巻き数に興味

写真6-7　５種の手振り発電パイプのサンプル

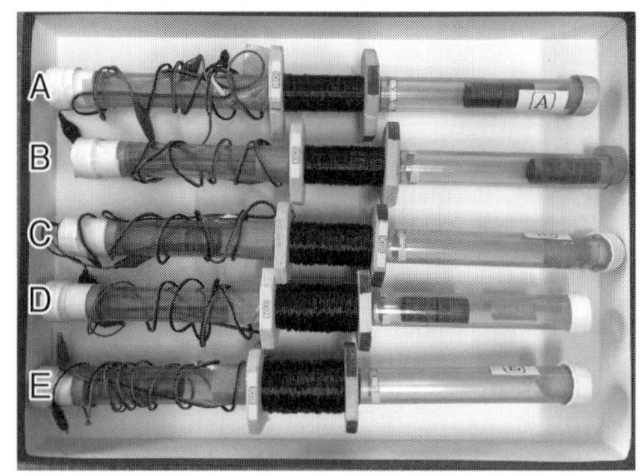

写真6-8　LED豆電球台を複数接続してパイプを振る

を持ってもらうために、軽い気持ちで回答を求める質問である。

これまでの経験では、②の300回くらいの回答が多く、①の100回くらいと、③の500回以上の回答は、少数になる傾向があった。対面なら、その場で挙手してもらうと、すぐにわかる。しかし、オンラインだから、34校の70人を超える参加者の回答を画面越しに詳細に見ている時間はない。おおよその傾向を確認するだけだった。

何回巻きのコイルで点灯するか？

写真6-7の手振り発電パイプのサンプルは、Aは100回巻き、Bは300回巻き、Cは500回巻き、Dは700回巻き、Eは900回巻きしたものである。コイルの両端に接続するのは、１日目の【プロジェクト１】で使った４個のLED豆電球台である。対面でのワークショップなら、会場にいる参加者を指名してデモンストレーションしてもらうと効果的なのだが、リモートではそれができない。やむなく私が演示して見せる。

サンプルのAをLED豆電球台に接続して、思い切り強く両手に持ったパイプを振っても、LED豆電球は点灯しない。Bで同じことをする。これも点灯しない。

ここまでのデモンストレーションで、参加者たちは手振り発電パイプの使い方がわかる。熱演する講師の私のやり方を見て、思い切り両手を動かして実験するものだ、と画面を通じても理解できる。

サンプルCは、懸命にパイプを手振りし続けるとLED豆電球が点灯する。Dを使うと、あまり無理をしなくてもLED豆電球が点灯するようになる。それがＥであれば、もっと楽にLED豆電球の点灯実験を楽しむことができる。

写真6-8に示すようにEの900回巻きサンプルを使うと、LED豆電球ユニットを２、３セット接続しても、すべてのLED豆電球が点灯する。

それでも、この実験だけで水力発電所などの巨大発電機を想像するのはむずかしい。

しかし、ここまでのデモンストレーションで、コイルと磁石だけでも磁石が動く時に電気が発生することが鮮やかに実験・観察できる。さらに、それには何百回もコイルを巻く必要があること、磁石を動かすエネルギーが必要だという重要な共通点は理解できる。

このデモンストレーションは、あっさりと終わりたいが、ここで参加者の要望が出る。演示実験のA、B、C、D、Eの５種のサンプルの手振り発電パイプは、ぜひとも生徒たちにも体験させたい。だが、どうやって入手するのか？　自分の手でサンプルを作るとすれば、エナメル線を手で巻くという、途方もなく時間のかかる作業だろうと疑問が湧いてくる。

繰り返し続けた予備実験から

このプログラムでは、まず手振り発電パイプを制作する。はじめに見せるデモンストレーションで、サンプルCの500回巻きでは無理、最低でもDの700回巻きはしなくてはならないこと。これをしっかりと見せる。

私たちが繰り返し予備実験した結果では、だいたい600回巻くと、LED豆電球が点灯することがわかっていた。しかし楽な操作でLED豆電球を鮮やかに点灯させるには、サンプルEの900回巻きとするのが望ましい。900回巻き以上にすると、多種多様なLED電球の点灯を試すことに使える。たとえばクリスマスの室内イルミネーションなども点灯できる。

モノを工夫し制作する時は万全を期し、経験や計算で得た以上の数値を設定するのが常識である。だから、このプログラムで参加者が作る手振り発電パイプのコイルの巻き数は、楽に操作してLED豆電球が鮮やかに点灯することを保証する1000回としたい。

このことを話すと参加者たちは、1000回も手巻き作業しなければならないのか、と気分が重くなってしまう。そこで登場するのが、巻線機「ジョイ」である。私はアシスタントの梅本と共同で、ハミングしながらでも軽々と作業ができる巻線機の開発をしてきた。この巻線機「ジョイ」を、タイミングよく紹介する。つぎの章で詳しく記述することにしたい。

7章

ハミングしながら コイル巻きする～巻線機ジョイ

1000回巻きのコイルを作る

手振り発電パイプは自分の手で発電して、電気が発生する原理を実験・観察できる、これ以上は考えられない絶好の実験機材となった。

一方、この機材を用意するには、自分の手でパイプにエナメル線を1000回も巻かなければならない。とても厄介だが、一度は経験してほしい作業である。

なぜなら、電気はコイルと磁石だけで発生すること、そして1個のLED豆電球を点灯させるだけの電気を生み出すことが、どんなに大変かを実感できるからである。一度は経験してみる価値ある手作業になること請け合いだからだ。

とはいえ、多数を相手にする時間の制約があるワークショップである。その実験準備を、すべて手作業でするわけにはいかない。1セットも作れないうちに、単純な手作業を続けることに時間を費やされてしまう。

じつはコイル巻きをするための巻線機は、古くから市販されている。それらは、もっぱら巻線作業をするプロの職人さん向けである。数万円する代物で、鉄製なので両手でかかえるほど重量がある。ハンドルや歯車も鉄製のため、慣れない者にはハンドルがかなり重い。２～３分間回しただけでとても疲れてしまう。これを使って1000回巻きのコイルを何個も作るのはむずかしい。

フードチョッパーのように軽やかに使える巻線機を

ここでも、「無ければ作る」で考える。

私たちがイメージしたのは、たとえばキッチン用品のフードチョッパーである。ハミングしながら紐を引くだけで、容器に入れたタマネギなどを細かくきざむことができる。このくらい手軽な巻線機があれば、誰でも気軽にコイル巻きができるのではないか。

私は大学を退職する数年前から、１人でOES研究所を開設していた。そこに知人の梅本仁夫が加わったのは2017年５月だった。彼に一緒に取り組んでほしいと注文したのは、フードチョッパーのように、ハミングしながら手作業できる巻線機だった。

これが実現すれば、フードチョッパーでハンバーグの手作りが楽しめるように、手振り発電パイプにエナメル線をコイル状に巻く巻線作業ができる。そして、その作業をするだけでも、料理の楽しみを経験するように電気の実験に格段に親しみが持てる。

写真7-1　手作りした巻線機ジョイ

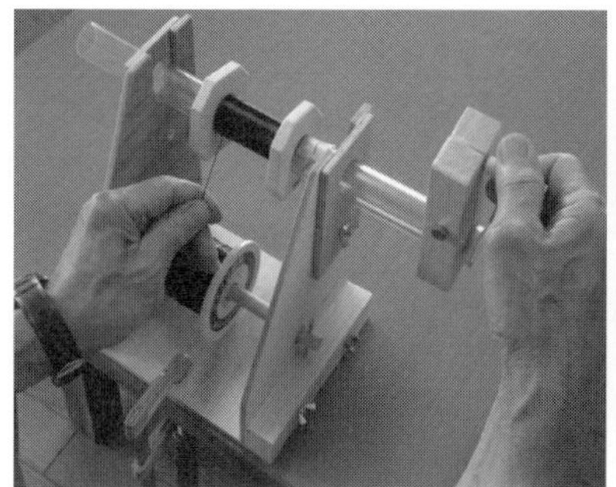

写真7-2　手だけで組み立てられる巻線機ジョイ

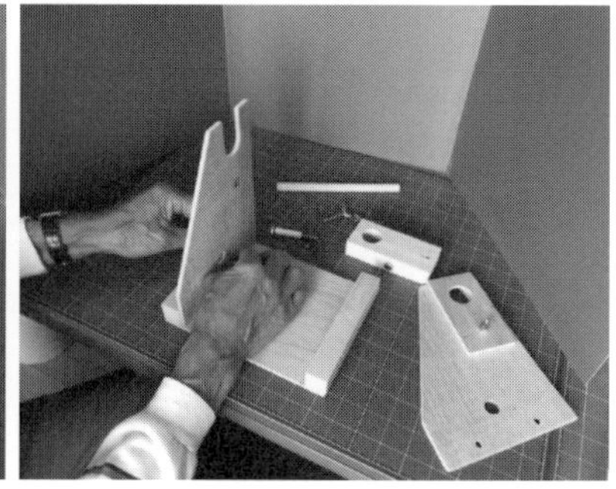

梅本がOES研究所に出入りして丸1年が経過する頃、何台もの試作を経て、ようやく写真7-1の「これならフードチョッパーのレベル」だというモデルができあがった。

木で作った巻線機「ジョイ」

その間、何度も試作を繰り返した巻線機は、初代から数えて6代目となっていた。組み立てに特別な工具はいらない（写真7-2）。指先で蝶ネジを締めつけるだけである。持ち運ぶ時は、弁当箱くらいの大きさになり、使う時は、机のどこにでもクランプ（留め具）で固定できる。

この巻線機は写真7-1に示すように上下に水平方向の2つの軸がある。下は短く、上は長い。下の軸に市販されている1kg巻きのエナメル線のボビンが見える。上は透明のプラスチックパイプが取り付けられている。パイプの右端にハンドルがあって、これを回すとパイプの中央部分に下のボビンのエナメル線が巻きつけられていく。

巻き始めには、あらかじめ上にセットしたパイプの左側に20㎝ほどの余分を出しておく。その状態でハンドルを回すと、パイプの中央部分のコイルに軽々とエナメル線を巻いていくことができる。

はじめて使う人でも、15分ほどの作業で1000回巻きができる。その後エナメル線の両端をビニル線に接続して、先端にワニ口クリップを取りつける。ワニ口クリップをLED豆電球台に接続すれば、これで実験準備は完了する（86ページの写真6-8参照）。

目指したのは小学校高学年の子どもたちでも扱えるようなレベルの機材である。中学生なら自分の手で作業して、簡単にコイル制作ができる。さらに巻線機ジョイそのものは、少量の木材を使ってノコギリがあれば制作できる。それを推奨するため、参加者である先生たちが自分で、あるいは生徒たちとともに制作するための図面も用意したのだった。

この巻線機はタイなどでは英語でOES-JOY（略称はJOY）としている。日本語の表記ではジョイである。

エナメル線は曲者だが代替品がない素材

巻線機ジョイは、はじめて手にする人でも扱いやすく、すぐに馴染める。フードチョッパーの「料理を誰でも、簡単に」のセールス文句と同じように「巻線作業を誰でも、簡単に」を旗印にしている。だが、この巻線機で巻くエナメル線は、なかなかの曲者(くせもの)である。

エナメル線は、手振り発電パイプの決め手となる材料である。しかし、タマネギと違って馴染みがない。むしろ知らない人が大多数である。エナメル線は細い銅線に熱処理によってエナメル塗料が薄くコーティングされている。そのごく薄いエナメル塗料の皮膜こそ、発電機とモータの構造の知られざる重要なポイントである。

細くて長いだけなら、紐や糸がある。それらは、やわらかくて扱いやすい。ところがエナメル線は、針金と同じようにキンク（kink）ができやすい。キンクとは、糸・綱・髪・鎖などの小さな「よれ」や「よじれ」を言う。そのキンクができやすいので扱いにくい。

またタマネギなら、どこのスーパーでも買えるが、エナメル線は日曜大工コーナーで１m、せいぜい５mの長さで売っているだけで、もっと長いものは、教材を扱う販売店に問い合わせて購入するか、あるいはネットでの購入になる。日本では太さ0.45㎜、または0.6㎜のエナメル線は、現在のところ１kgの１巻で5000～6000円である。これは原材料の銅の価格で変動することもある。

コイルを作るために、自分の手でエナメル線を巻く作業を経験しているのは、よほどの実験マニアと言われるごく少数の人だけである。そのことが、電気の発生の大切な実験から多くの先生たちを遠ざけてきた原因である。

しかしエナメル線は、卓上で涼風をおくる扇風機のモータにも、自転車のライトの発電機にも使われている。もちろん家庭の調理器のIH（Induction Heater、電磁誘導加熱調理器）にも、多量のエナメル線が使われている。

水力発電所などの巨大な発電機では、想像を絶するほど多量のエナメル線が使われている。ごく薄いエナメル塗料の皮膜は、エナメル線同士がくっついても絶縁状態を保つ性能がある。コイル状に密接して巻かれた銅線の中をグルグルと電流が正常に流れる役割を果たしている。狭いスペースに濃密に巻きつけるのに良いものはエナメル線をおいて他にはない。極めつきの材料なのである。

「パワーアップ」プロジェクトでは、バンコクのわがIPST研究所が34校に1巻1kgのエナメル線を2巻ずつ配布してくれた。

ちなみに日本国内では、OES研究所の梅本が運営する岸和田工房に問い合わせていただけると特別価格で頒布できる（問い合わせ先は巻末に記載）。エナメル線があれば巻線機ジョイが活躍する。

大量に作られた市販の既製品コイルを使うのではなく、自分の好みの巻き数のコイルを自由に作って、それで実験する。それでこそ実験は楽しいものになる。

タイ国での先行使用、日本国内デビュー

国内でゼネコンを販売している株式会社ナリカが、東京の本社ビルで日本の先生たち向けの「ナリカサイエンスアカデミー」の開催を続けている。その催しに参加する機会があった。コロナ禍の直前、2019年7月から8月に開催された「手づくり教室」である。この時、参加した先生たちに巻線機ジョイを使ってみてもらって好評だった。

タイ国で実施した「パワーアップ」プロジェクトは2022年3月だったが、それ以前にタイでも試験的に使ってみたことがある。

2019年3月にアユタヤ地域総合大学ARUで近隣の小中学校の先生たち30数名に2日間のワークショップを催した。この時、手振り発電パイプと巻線機ジョイのサンプルを現地に持ち込んでいた。それをサンプルにして、地元で木工加工をする作業場に事前に50個の制作を依頼した。巻線

写真7-3　アユタヤでのワークショップの様子

巻線機ジョイで手振り発電パイプのコイル巻きをするワークショップ参加者（ARU大学、2019年）

機ジョイは、リモートのワークショップ「パワーアップ」プロジェクトに先んじてタイ国デビューを果たしていたのである。

ARU大学のワークショップでは、それまでに何度となく地元の先生たちとともに新しい経験とチャレンジをしてきた。このワークショップの参加者は、いつも30人を超える。そのうち7割くらいが女性で、実験活動も工作作業もはじめてという先生たちばかりである。それでも一人ひとりが巻線機ジョイを使ってコイル巻き作業に取り組んだのだった。

私自身は何度も何度も巻線機ジョイを使っているが、参加者たちは初体験である。1000回巻きの作業には、30分は必要だろうと想定していたが、約20分間で全員が終了できた。

最初は戸惑っていた先生たちも、巻線作業に慣れてくると軽々と巻線機のハンドルを回して、楽しげな料理教室のような雰囲気になった。ジョイには巻き数の表示器はない。口で「1、2、3、4……」と数えて、100回巻くごとにメモ用紙に鉛筆で記録する。日本なら「正」の文字ができたら500回巻きである。

写真7-4　巻き数の記録

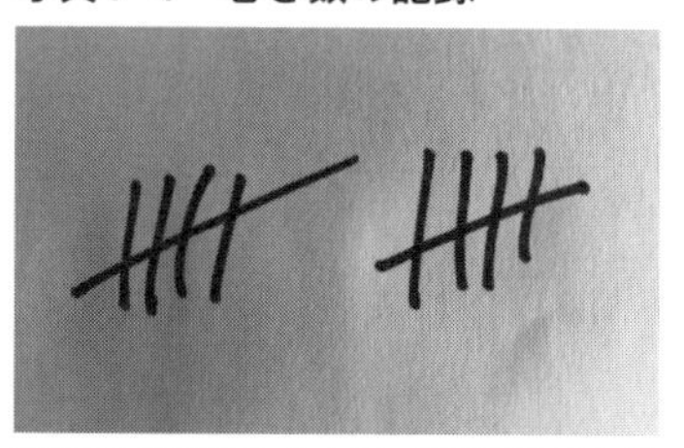

500回が2個ならんで、1000回である

タイでは、それが「ヌン、ソン、サム、シー……」で、100回になると縦棒「｜」（タイ語で、ヌンロイ）を引く。200、300となって縦棒が4本並んで、500回巻きができたところで、写真7-4のように4本の縦棒に横線を引く。

ワークショップの会場の様子は、ルンルンとハミングしながらフードチョッパーでタマネギを刻んでいるような光景だった。これで、「なんとかできるものである」という実感を持った。

手づくり「手振り発電パイプ」でクリスマス用の電飾が灯る！

1000回巻きしたコイルの両端のエナメル塗料を紙ヤスリで取り除くと、ピカッと輝く銅線が現れる。これに細いビニル線をハンダ付けする。１～２ｍの２本に分かれたビニル線の先端にワニ口クリップを取り付ける。

つぎにエナメル線を巻き終えたパイプの中に丸型磁石を入れる。例のタイのダイソー（60バーツ均一店）で入手した20個入りの磁石である。そのうち５個を薄いテープで巻いて、１個の棒磁石にしてパイプに挿入する。

これで手振り発電パイプはできあがる。が、このままだと、両手でパイプの両端を持って左右に大きく振ると、そのたびに丸型の磁石が左右の手のひらに当たる。

その感触も大切なので、そのまま使ってもよい。もしペットボトルのキャップがあれば、それを両端のストッパーに使うと好都合である。そのうえ台所用のスポンジをキャップのサイズにカットして、スポンジ付きキャップとしてパイプの先端にはめ込み、ビニルテープを巻いて固定する。こうするとパイプを左右に振った時、パイプの中の丸型磁石がスポンジで跳ね返されて、よりスムーズにコイルの中を通過する。これで、さらに楽に磁石が動いて効果的に発電できる。

ARU大学の１日ワークショップでは30人を超える参加者たちが、半日で巻線作業と実験機材を用意し、午後にはそれぞれ手振り発電パイプでLED豆電球を点灯させる実験を行い、楽しいひとときとなった。全員が完成した手振り発電パイプとLED豆電球台を大切に持ち帰っていく姿を見て、ホッとすると同時に、参加した先生たちに強烈なインパクトを与えた１日だったに違いないと確信した。この経験があったから、「パワーアップ」プロジェクトで大阪からタイ34校の先生たちにリモートでも取り組むことができたのだった。

ARU大学で参加した30人を超す先生たち、そしてリモートで「パワーアップ」プロジェクトに参加した34校、73人の先生たち。あわせて約100人の先生たちが自分でコイルを巻いて、手振り発電パイプを作った。それを使ってLEDが灯る実験を経験した。みんなの表情は、手作りの料理ができあがった時のように、手振り発電パイプとLED豆電球台を前に嬉しいものだった。

南国のタイでも、12月には、バンコクに多数ある大きなデパートやショッピングセンターにかぎらず、地方のガソリンスタンドやコンビニでも盛んにクリスマス・ツリーを飾る。タイの多くの人たちが見たことの無い白い雪に見立てた綿をのせて、LED豆電球のイルミネーションをする。

手振り発電パイプを使うアユタヤのワークショップで、その実験の発展として、小型のイルミネーションを点灯させるデモンストレーションを行った。これは好評だった。発展的な実験活動としてだけではなく、自分の作った機材で楽しみが広がることが実感できたのである。

素朴な実験機材と巻線機ジョイが、これを契機にして、先生には「教える楽しみ」、そして子どもたちには「学ぶ喜び」の実現に役立つことを期待したい。

写真7-5　手振り発電パイプで点灯したクリスマス用の電飾

8章

「おもしろい、楽しい」に続く探求へ

これが電気の発生の原理だ

手振り発電パイプが完成し、実験に使えたことは大きな喜びだった。その喜びを「パワーアップ」プロジェクトに参加するタイの先生たちとわかち合えることは、さらに嬉しいことだった。

なにしろ、これが電気の発生のすべての原理なのだ。この原理によって、巨大な発電機が大量の電気を工場に、交通機関に、そして家庭に供給している。

そのうえ手振り発電パイプは、これまでむずかしかった実験を鮮やかに再現できることがわかった。私たちがポケットに入れているICカード、そしてスマホ同士をかざすだけで代金支払いができる原理を知る実験に発展できる。

つぎに行う実験では、さまざまな電気の法則が用いられる。これらの法則を発見したのが、電気の世界を拓いた多くの科学者たちである。彼らの取り組みの努力に敬意を抱きながら、実験・観察したいものである。

まずはプロジェクトの5日目、ワークショップ最終日の前半の実験を紹介する。

木製の丸棒と検流計を準備する

この実験では手振り発電パイプの他にパイプに挿入できる木製の丸棒、そして検流計を準備する。ここで、はじめて計測器の一つである検流計を使う。

検流計はガルバノメータ（Galvanometer）という。これは電気の発生のきっかけを発見したガルヴァーニ*2の名前にちなんでいる。写真8-1を見るとわかるように、メータの中央に堂々と彼の頭文字の「G」がプリントされている。

写真8-1　検流計と手振り発電パイプ

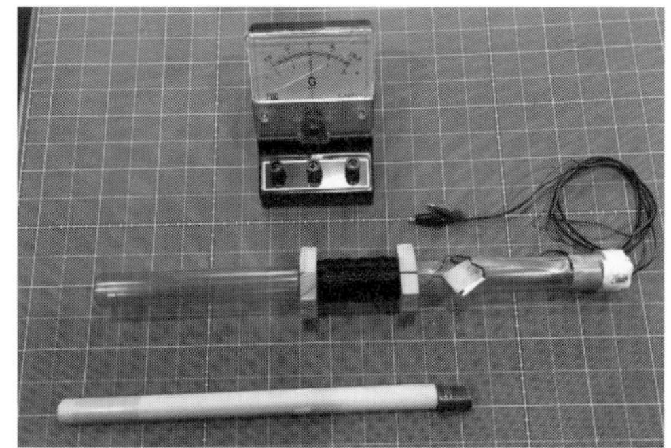

木製の丸棒の先端には磁石を仮止めしている

写真の検流計はタイで購入すると200バーツ（約700円）ほどである。すべての学校が所有していると思われるが、壊れているかもしれない。そこで「パワーアップ」プロジェクトでは、バンコクのIPST研究所から参加校に配布する機材として２台ずつを用意した。

それとともに太さ15㎜、長さ30㎝の木製の丸棒も配布した。これは工作材料店でも入手できる。

実験の準備として、木製の丸棒の先端に５個くらいの丸型磁石をまとめて両面テープなどで仮止めする（写真8-1）。この時、磁石のＮ極が丸棒の先頭側になるように固定する。手振り発電パイプは、机の上に静かに置い

＊2　ルイージ・ガルヴァーニ（Luigi Galvani、1737～1798）、イタリア生まれ、医師で物理学者。1771年、患者にスープを用意しようとして、カエルの足にメスを入れた時、カエルの筋肉が痙攣することを発見したと言われる。これが電気の研究の手がかりになったというエピソードがある。彼の発見が今日の神経系の電気パターンや微細な信号の研究にもつながっている。

て、手を触れない状態で実験する。

検流計の実験と科学者たち

先端に磁石をつけた丸棒を手振り発電パイプの開口部分に、磁石のついた側から、ゆっくりと入れる（写真8-2）。

そのまま奥まで入れていくと、磁石がコイルに入る時、そして出る時に検流計の指針が大きく左右に動く。これは何度繰り返しても、わくわくドキドキする実験・観察になる。

写真8-2　手振り発電パイプに接続した検流計

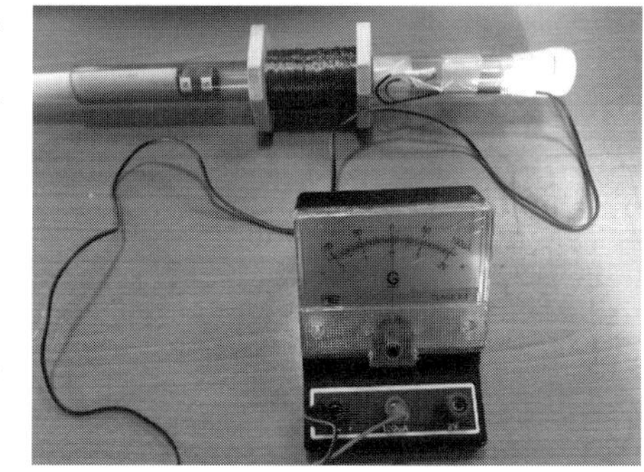

磁石を固定した丸棒をパイプに入れる

磁石のN極を先頭にした丸棒をコイルに入れると、指針はプラス（+）側に振れる。コイルから引き抜く時、指針はマイナス（−）側に振れる。

つぎに丸棒の先端に固定している磁石の極を逆にする。S極を先頭にしてコイルに入れると、指針の振れは先の結果と逆の方向、マイナス（−）に振れる。引き出す時も、N極から差し込んだ時とは逆のプラス（+）に触れる。

磁石の出し入れを激しくすると、検流計の指針の動きも左右に激しく動く。磁石の動きを止めると、指針も中央の「0」の位置で止まる。磁石をコイルの中で止めても、指針は「0」で動かない。

何度でも実験を繰り返して、納得できるまで観察する。その観察から、検流計の指針の振れには「決まり」があることに気づくだろう。これが、よくテストにも出る問題の一つである。

その決まりには2人の科学者のレンツとアンペールが登場する。ここで起こる現象は、彼らが発見した法則で説明ができる。

ガルヴァーニに続く電気の実験と研究に携わった代表的な科学者は、生年の順にアンペール（1775〜1836年、フランス）、ファラデー（1791〜1867年、英国）、レンツ（1804〜65年、ドイツ）、フレミング（1849〜1945年、英国）が登場する。そして、彼らが発見した法則がある。

それらの法則が、いまだに電気の世界に生きている。と言うよりも電気には無くてはならないものであり、今日でもその名前が残って使われているのである。

「レンツの法則」と「右ネジの法則」

レンツは「磁界の変化によってコイルに発生する電流の向きは、磁力線の変化を妨げるような向きとなる」という法則を発見した。

先のコイルを使った実験では、レンツの法則、そしてもう一つアンペールが発見した「導線に流れる電流が作る磁界は、右ネジの方向に生じる」という「右ネジの法則」が当てはまる。

99ページの写真8-2の実験の様子は図にすると、図8-1のようになる。

図8-1　コイルと磁石の動き、および発生する電流の向き［3者の関係］

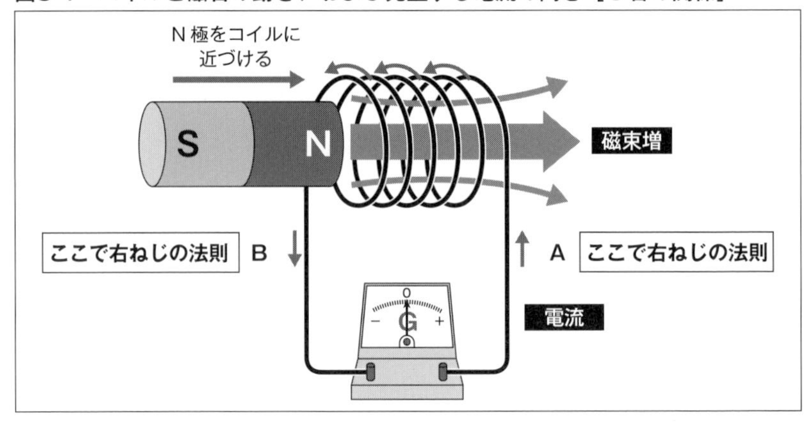

よく出題されるテスト問題は磁石が左側からコイルに近づく時、コイルに流れる電流の向きを問うものが多い。それがN極を引き出す時だったり、磁石の極がS極だったりする。

レンツの法則は、「意地悪の法則」と覚えるとわかりやすい。

図8-1では磁石のN極がコイルに入ろうとしている。これをレンツの法則に当てはめると、邪魔するような向きに電流が流れる。たとえば図の「A」のポイントで右ネジの法則を当てはめてみる。この部分で右手の人さし指を上に向ける。それを右に回すと、N極がコイルに入るのを邪魔する向きに磁界ができる。

N極から出る磁束が増えるのを邪魔するように、つまり磁石のN極がコイルに入ろうとするのをさまたげるように電流が発生する。

このポイントでコイルには上向きの電流が生じる。磁石が入ってくることに意地悪することになる。

これを図の「B」のポイントで確認してみてもよい。

コイルを流れてきた電流は、ここで下向きになる。そこで右手の人さし指を下に向ける。それを右に回すと、やはりN極がコイルに入ることを邪魔する向きの磁界が生じる。

コイルのどの部分でも、右ネジの法則が当てはまる。磁石のN極が入ってくるのを意地悪して邪魔するように電流が生じる。

物事は、単純に記憶するのが好ましい。むずかしいことは後回しで、ここでの実験・観察では、まずは図8-1を記憶すればよい。これにすべてが含まれている。

手振り発電パイプで実験を楽しんだら、図8-1を見ながら起こった現象について整理し理解する。後はレンツの法則と右ネジの法則を覚える。

これで「パワーアップ」プロジェクトに参加した先生たちは、それまで苦手だった実験も、鼻唄まじりで子どもたちに演示して見せることができるようになる。自信を持って教えることができれば、子どもたちもずっと効果的に学ぶにちがいない。

見えない広がり——磁石の磁界、磁束、磁力線

ここで磁石にまつわる「磁界」「磁力線」「磁束」について、説明をしておきたい。電気と同じで目には見えないが、これらがなくては電気が起こ

らない。この実験で観察した現象の説明にも、既に何度も使った言葉である。

写真8-3の左は、たこ糸に結んだクリップが磁石に引きつけられて宙に浮いている様子である。また写真8-3の右は、手のひらに乗せた方位磁針のN極が、左手に持った磁石に引かれている。左手のS極を近づけることで、互いに引き寄せられている。

磁石のN極とS極には引き合う力、そしてN極とN極、またS極とS極の同極は、しりぞけあう力が働く。

写真8-3　目に見えない磁力の広がり

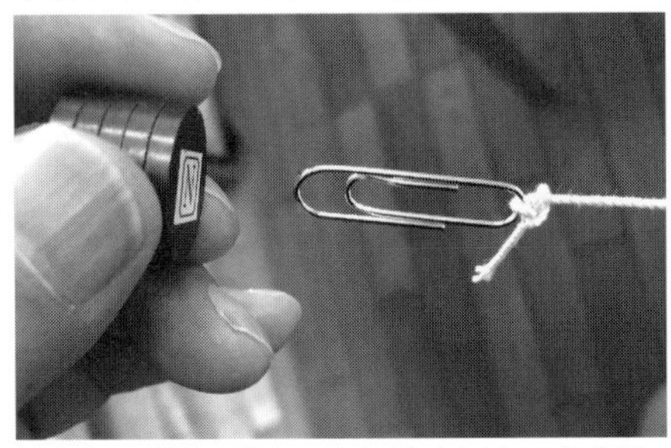

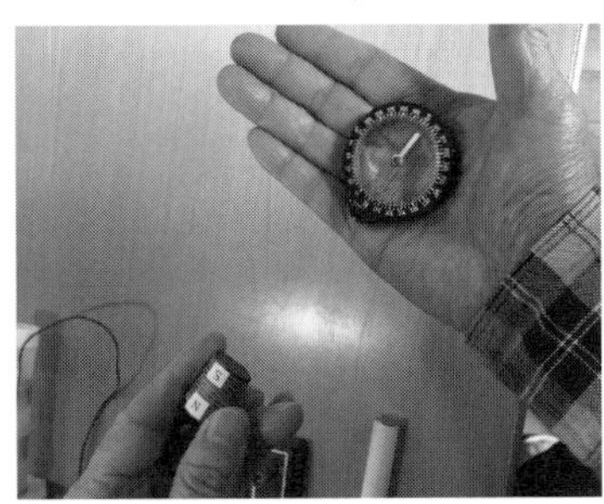

見えない磁石の磁力で宙に浮くクリップ（左）。近づけた磁石に方位磁針のN極が引き合っていて、磁石の先端がS極だとわかる（右）

このような磁石の力のおよぶ範囲を「磁界」と呼び、N極からS極に向かう磁束（磁力線の束）があると想定する。そうすれば、目に見えない力のおよぶ広がりが想像できる。

写真8-4は手振り発電パイプに使っている丸型磁石を連ねて棒状にした磁石でできる磁界の様子を記録した作品例である。空き箱の中に丸型の棒状にした磁石を置き、カバーをした上から鉄粉をまいた時、鉄粉が作る模様を示している。

黒く丸いところは、箱の中に入れた磁石のN極とS極の真上にあたる部分である。磁極に鉄粉が吸い寄せられるため、濃く黒くなる。N極からS極の間には鉄粉が細く糸状の模様となり、磁束と磁力線があることを示している。このようにして磁界を観察することができる。

写真8-4　磁石の磁界の観察記録（2つの作品例）

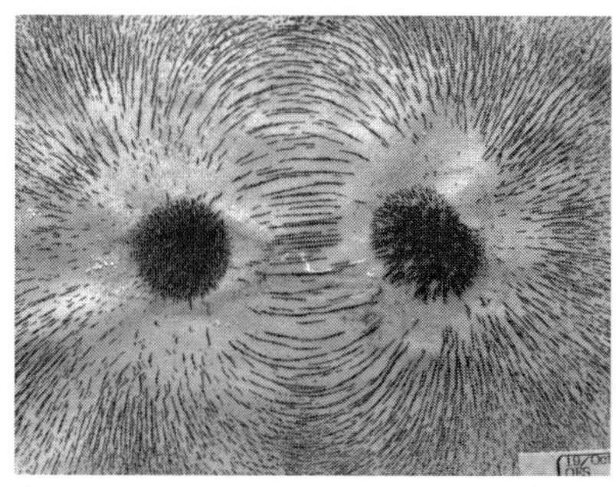

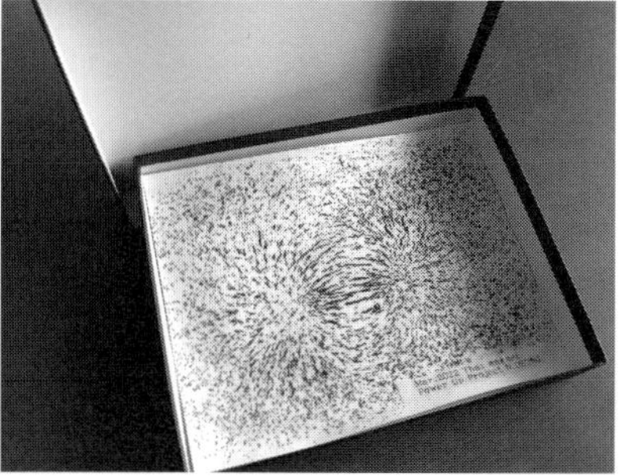

丸型磁石15個を連ねて棒磁石の形状にして実験した結果（左）と、5個を吸着して実験した結果（右）

実際には、使う磁石や実験方法、実験作業の力量などによって、試みるたび観察結果は違うものになるが、概ねこのような形を示す。一つひとつの実験と観察が、その1回かぎりの状況を示すことは、まさに実験・観察の面白いところである。

磁束計を使えば、より高度で本格的な計測をすることも可能である。しかし、ここでは簡易な方法でも観察できることを紹介するだけにとどめている。この作品例の制作方法は、巻末の参考資料8に詳しく記している。

交流と直流を知るには、スマホのアダプターを見よ！

「パワーアップ」プロジェクトの5日目、最終日の後半は、いよいよ誰にも馴染み深いスマホによる代金支払いや、ICカードの仕組みについて知る実験に進む。

まずは電気の基礎について、もう少し説明を加えておこう。

スマホには小型で薄い、高性能のバッテリー（蓄電池）が内蔵されている。スマホを持っていると、操作しなくても自然に放電する。そのため正常な動作を維持するには、気がついた時に充電（チャージ）する必要がある。

スマホには、薄いバッテリーが使用されている。しかし、電動アシスト自転車のバッテリーや電気自動車の大きく重いバッテリーと形や大きさは

写真8-5　スマホとスマートウォッチ充電用のACアダプター

サイコロ型の部品がAC（交流）とDC（直流）を変換するアダプター

違っても、その機能は基本的に同じである。

充電するにはアダプターを使う。アダプターに記してある細かな文字を気にする人は少ないが、たとえば、つぎのように記されている。

Input（入力）100〜240V、50/60 Hz。Output（出力）5V、1A

これはアダプターの差し込み口が電圧100〜240V、周波数は50か60Hz（ヘルツ）の交流を使うこと。それで出力側は直流の電圧５V、電流は１A（アンペア）になるという意味である。

日本の家庭の電源コンセントは100Vなので、このアダプターを差し込んでスマホの充電ができる。タイでは220Vだが100〜240Vと記してあるアダプターなら、そのまま使うことができる。

交流を使う実験へ

タイの先生向けに取り組んだ「パワーアップ」プロジェクトは、基礎レベルの電気の実験に、安全に楽しく取り組むことをモットーとしている。その最終日にあたる５日目で、はじめて交流を使う実験に進む。

ここで基礎レベルの電気実験に交流を使う実験を取り入れて、より広く電気に馴染むことを目指したい。

電気には直流（DC：Direct Current）と交流（AC：Alternating Current）がある（図8-2）。直流は、乾電池が代表的なものである。その電圧や電流の向きが変化しない。それに対して、交流は原則的に変化する電気の流れ方を言う。

コンセントから流れてくる電気は交流で、スマホのバッテリーを充電するには、直流に変換する必要がある。サイコロ型のスマホ用充電アダプターは、サイズが小さくても交流を直流に変換する仕組みになっているのだ。

日本の100V電源が50／60Hz（東日本／西日本）というのは、交流の周波数である。50Hzなら1秒間に50の、60Hzなら1秒間に60の正弦波の交流である。1秒間に50回の正弦波は、1秒間に50回もプラス（＋）とマイナス（－）の入れ替えを繰り返している。私たちの目には点灯し続けているように見えていた白熱電球が、実は点いたり消えたりを1秒間に50回（西日本では60回）繰り返していたのである。

図8-2　直流と交流

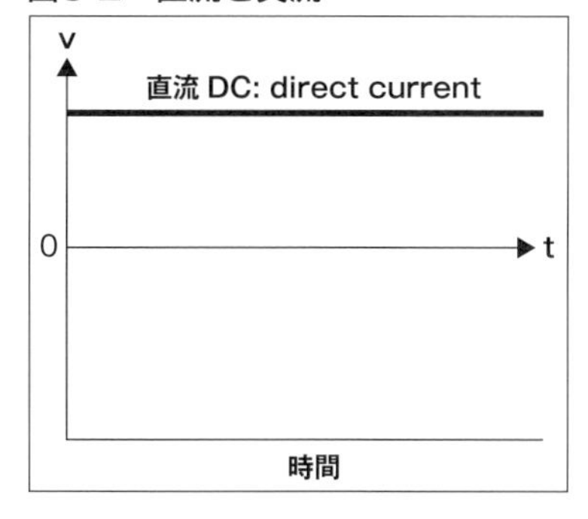

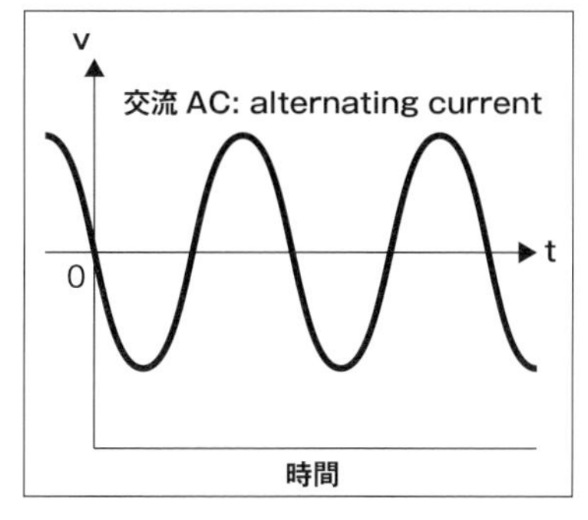

家庭に送電される電気を交流にするか直流にするかについては、以前に大論争があった。

直流派のエジソンに対して、交流派のウェスティングハウスの2人が激しい論争と宣伝合戦をした。その様子は、2017年に米国映画『THE CURRENT WAR（電流戦争）』になり、日本でも『エジソンズ・ゲーム』として公開されている。現代でも映画ファンだけでなく広く関心を集める話題である（詳しくは参考資料2参照）。

電気の基礎実験で交流を使う場面がある場合は、安全第一で使うことが留意される。

安心と安全を配慮した「パワーアップ」プロジェクトでは、タイでの220Vの電圧を小型トランス（変圧器）で10V程度の交流に変圧して実験している。

写真8-6は日本で使う小型トランスである。U型キャップを家庭用の100Vコンセントに差し込むと、出力側で6V、8V、10V、12Vの交流電圧になる。

タイは220Vなので、この日本の小型トランスは使えない。そのため、タイの参加校は、写真8-7の220V用の小型トランスを使った。これもIPST研究所で材料を調達し、制作したもので、安全のためにプラスチック容器に入れて、さらに安全ヒューズ付となっている。

写真8-6 「パワーアップ」プロジェクトの小型トランスの例（日本向け）

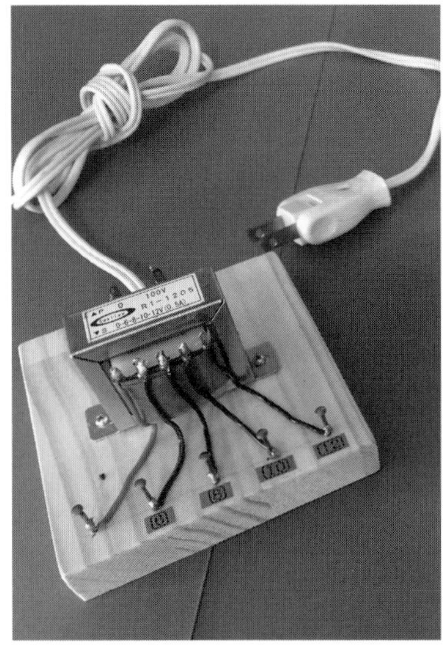

入力側は交流100V、出力側は6V、8V、10V、12Vの４つの交流電圧が使える

写真8-7 「パワーアップ」プロジェクトの交流実験用の電源（タイ向け）

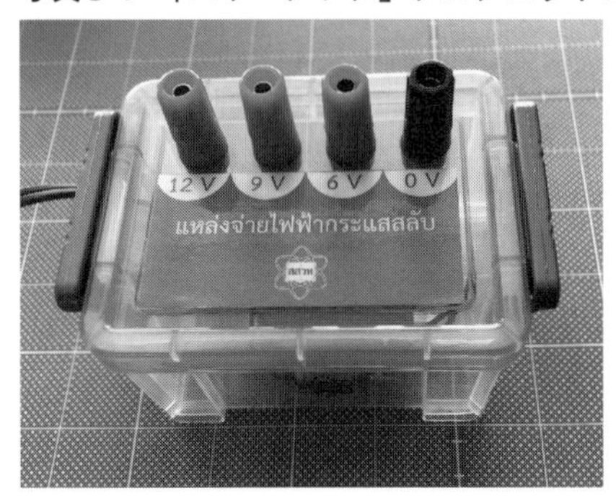

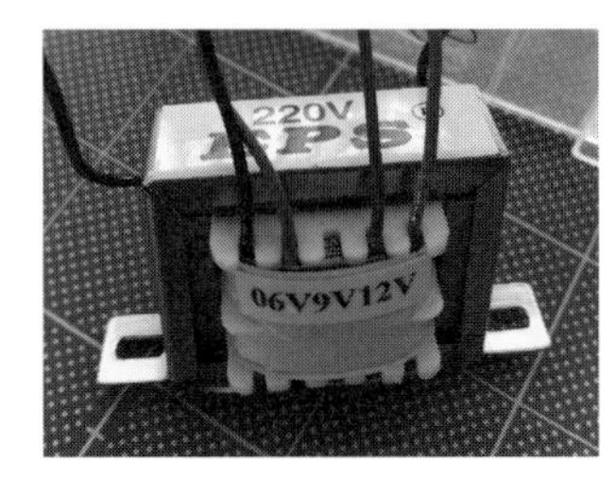

右は内部にセットした小型トランス。入力側は交流220V、出力側は6V、9V、12Vの3つの交流電圧が使える

実験のクライマックスへ！

いよいよ「パワーアップ」プロジェクトが5日間のワークショップで最終目標としている非接触給電システムの原点の実験に進む。

まず、巻線機ジョイを使い、小型のボビンにエナメル線を1000回巻きしたコイルを2個作る。

できあがったコイルのボビン部分に銅板の小片を接着して、それを接続ターミナルとする。写真8-8の右に示すように、2個のコイルにはそれぞれ2個の小さなターミナルがある。一つはコイルの巻き始めで、もう一つがコイルの巻き終わりである。その部分のエナメル塗料を紙ヤスリではがし、ハンダ付けする。

写真8-8　コイル2個を使った実験の準備

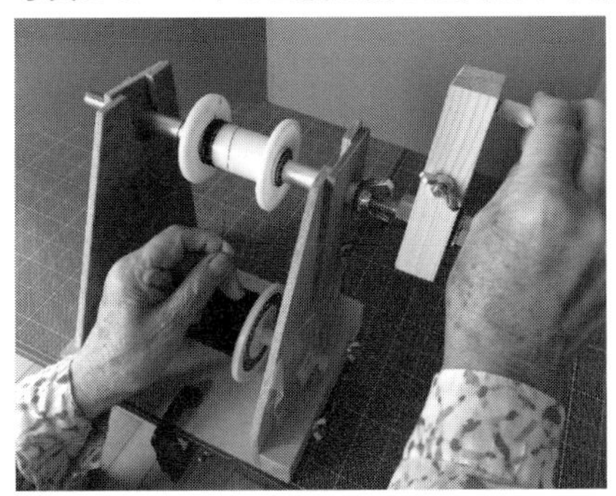

ボビンにエナメル線を1000回巻きする（左）。巻き終わったエナメル線は、2個のターミナルにハンダ付けする（右上）。空ボビンと30㎝の鉄棒（右下）

日本では実験用の小型トランスは交流の入力100V。出力は交流の6V、8V、10V、12Vとしている。タイでは小型トランスは交流の入力220Vで、出力側は6V、9V、12Vのものを使っている。

1000回巻きした2個のコイルの一つをコイルA、もう一方をコイルBと呼ぶことにする。

①コイルAを机に置いて、そのターミナルに小型トランスの6Vを接続する。

②コイルAの中心軸の穴に、長さ30㎝程の鉄棒を立てる。

③コイルBに、LED豆電球を接続する。

④コイルBを手に持って、ゆっくりと鉄棒に差し込む（写真8-9）。

ここで注目したいのは、コイルAとコイルBが個々で独立していて、ビニル線でつながっていないことである。

その状態でコイルBのLED豆電球が点灯するかどうか？　点灯するとすれば、どのように点灯するのか？　まさに、ハラハラドキドキする実験である。

果たして、コイルBがコイルAに近づくにつれ、LED豆電球は点灯していく。この一連の実験の流れが写真8-9である。

写真8-9　コイル2個と小型トランスを使った実験

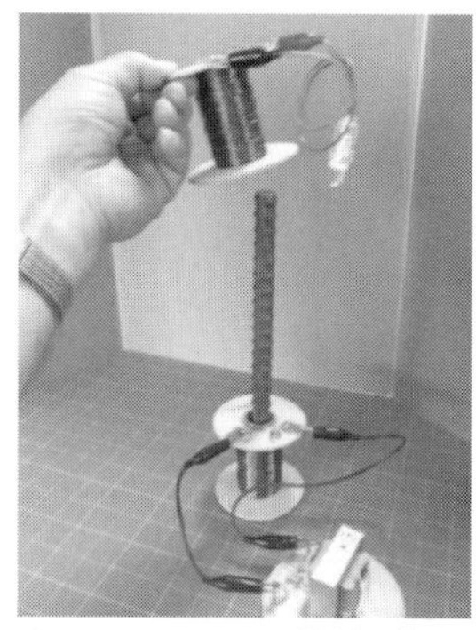
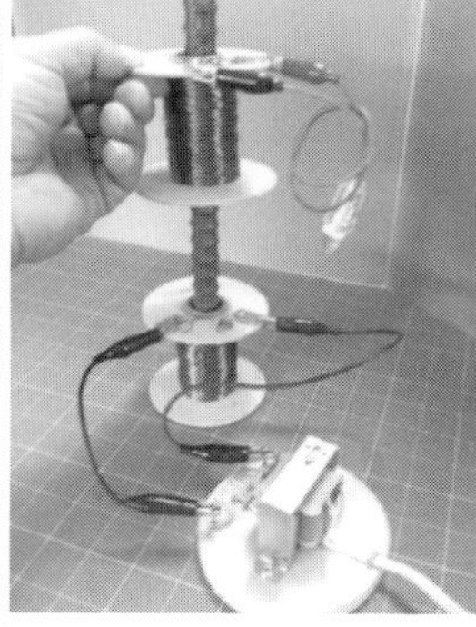
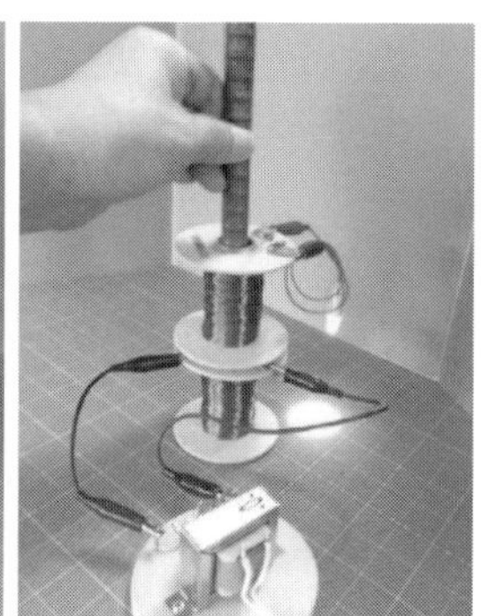

上からコイルBを鉄棒（鉄心）に差し込む。下のコイルAに近づくとLED豆電球が点灯しはじめる

実際にコイルBを手に持って鉄棒に差し込んでいく時、かすかな振動が手に感じられる。これこそ下のコイルAに低い電圧ながら交流電圧が加わっていて、鉄心から目に見えない電磁波が出ている証拠である。

私たちが道路にある電柱の下を通る時、変圧器のブーンという振動音を耳にすることがある。それと同じ現象である。

写真8-10では手に持っているコイルBは、LED豆電球ユニットに接続している。

机の上のコイルAは小型トランスから交流8Vに接続している。このコイルの芯に立てている鉄棒に、手にしたコイルＢをゆっくりと差しこむ。コイルＢをコイルＡに近づけていくと、LED豆電球が点灯しはじめる。さらに近づけるとLED豆電球は明るくなっていく。この時もコイルＢを持つ手に、わずかな振動を感じることがある。

写真8-10　非接触でも点灯する

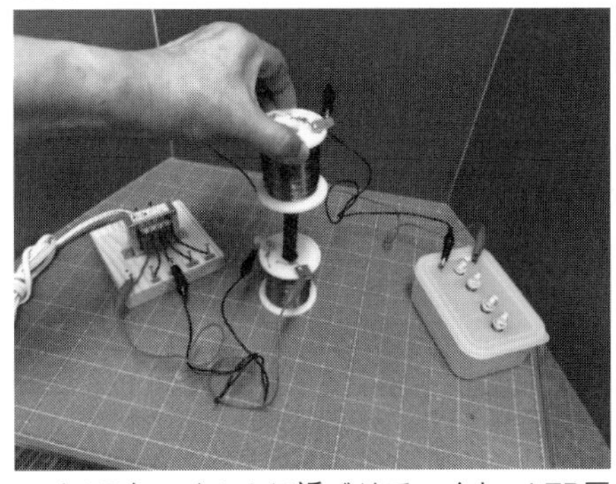

コイルBをコイルＡに近づけていくと、LED豆電球ユニットが点灯する

反対に、コイルＢをコイルＡから遠ざけると、LED豆電球は暗くなっていく。鉄棒から取り出すと、LED豆電球は完全に消える。

２つのコイルはビニル線などでつないでいない。非接触である。それでも点灯した！

図で見る磁力線と磁界

目の前の実験機材で見ていてやや難解なことも、簡略な図にして考えると理解しやすくなる。図8-3は、この実験を略図で表したものである。鉄棒にコイルＡとコイルＢが差しこまれていると考える。

コイルＡにより鉄棒は電磁石になっているため、磁界が生じて点線で描いたように磁力線が出ている。つぎに上からLED豆電球のコイルＢを入れていく。するとコイルＢに誘導電流（インダクション・カーレント、induction current）

図8-3　２つのコイルの概略図

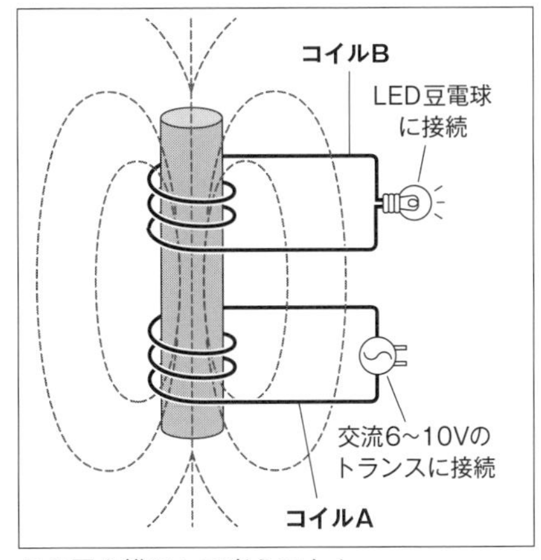

この図を横にして考えてもよい

と呼ばれる電流が生じる。

そのため直接つないでいないにもかかわらず、コイルBのLED豆電球が点灯する。コイルBをコイルAから遠ざけると、次第に磁界の外にはずれるのでLED豆電球は消える。これこそが非接触給電の原理である。

図8-3では、下側に交流電源に接続されているコイルAと、その上にLED豆電球をつけているコイルBがある。この2つのコイルの中に鉄棒が入っている。コイルAで生じた磁力線をコイルBが受ける。それによってLED豆電球が灯る。この原理は、さらに高度な先進技術で応用することに進展し続けている。

スマホ同士をかざして支払いができる、あるいはICカードで自動改札を通過できる原理が、これである。

写真8-11　非接触給電実験の応用

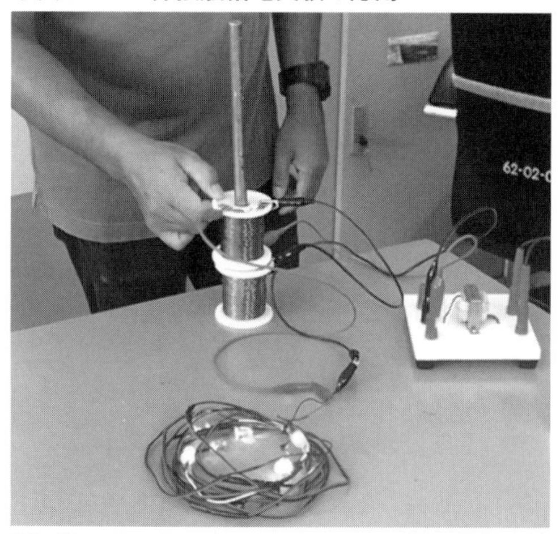

手に持っているコイルBにクリスマス用の電飾を接続した実験例（バンコクIPST研究所、2020年）

ありあわせの紙と鉛筆で、思いつきを走り書きする。文字だけではなく、不確かな思いをいたずら書きしてみる。機械や装置の設計図を描く前段階でも、頻繁に行われることで、落書きの手書きの簡略図が、その先で有力な機材の生産につながることが珍しくない。というよりも、とても必要なこととされてきた。

STEM教育の場面でも、実験し観察した事象や、使っている機材をすばやく手書きのスケッチにしてみる。見えない事象も想像を働かせて、いたずら書きする。そのことが、漠然としている考えを練り上げていくのに大いに役立つ。図8-3も、このような思いで見てほしい。

9章

2つのコイル、2つのスマホ

スマホとスマホで支払い完了

ある日曜のこと、玄関で「こんにちは」と声がした。小学2年生の孫が飛んでいって応対に出る。毎週1回の配達に来るヤクルトレディ、通称「ヤクルトさん」だった。

孫は嬉しそうにヤクルトを受け取ると、「ママ、お金を払って」とキッチンにいる母親に声をかけた。彼女はスマホを片手に急いでやってきた。

それを見たヤクルトさんは「コード支払いですね」と言って、スマホを取り出し、手にしたスマホを母親のスマホの上にかざした。

母親のスマホが「ペイ、ペイ」と言う。するとヤクルトさんは「ありがとうござい

写真9-1 「ヤクルトさん」の支払いをスマホでする

2つのスマホを接続しなくても支払いができる

ました」と頭を下げ玄関を出ていった。この様子を横で見つめていた孫は、ちょっと不思議な表情になって「ママ、あれでヤクルトの代金を払ったの？　どうしてお金が払えたの？」と尋ねるのだった——。

さて、ここで母親は自分の子どもに、どのように答えたらよいのだろうか。「学校で教えてもらいなさい」と言ったとしても、多くの先生たちには答えられないかもしれない。では、この説明を実験や観察してみせることができるだろうか。

このような光景は日本やタイでも、またアセアンの国々でも日常茶飯事である。これには最新の先端技術が使われている。まさにSTEM教育は、このような事態に対応した教育・学習でなくてはならない。

「パワーアップ」プロジェクトは、それに応えたいと思い、構想し実施したのである。

ICカードの中にコイルがある

駅の改札口で、かざしただけで通過できるICカードも、８章の２つのコイルの実験と同じ原理を使っている。

タイの首都バンコクの公共交通機関である地下鉄（MRT）とスカイトレイン（BTS）は、どちらも年々路線を郊外に向けて延長している。ここで使われているのがICカードである。地下鉄はコイン型の投げ入れ式のトークンも使われているが、写真9-3の右は、ICカードを軽くタッチする改札口である。

写真9-2　バンコクの地下鉄（MRT）のプラットホーム

写真9-4に４枚ならべたICカードのうち、右側がバンコクのMRTのICカード。左側は日本の関東地域で広く使われているICカードSuica（スイカ）である。

日本のICカードは、1983年

写真9-3　バンコクのスカイトレイン（BTS）と改札口

に大日本印刷や凸版印刷がICチップインカードを開発して以来、大手のエレクトロニクス企業も加わって最先端技術の開発にしのぎをけずっている。カードの内部情報は高度な企業秘密とされていて、簡単には入手できない。それらには既に各種の国際規格、日本規格が定められている。

クレジットカード、キャッシュカード、IC式乗車カードの一部（Suica、ICOCA）などの日本の規格は、横85.60×縦53.98×厚さ0.76㎜（ISO/IEC 7810:2003 ID-1、JIS X 6301:2005 ID-1）となっている。

注目すべきは、その厚さである。1㎜以下の0.76㎜である。

厚さ1㎜以下の薄いICカードに、先進のハイテク技術が詰まっている

写真9-4　交通機関のICカードの例（表側と裏側）および、一部を拡大した写真

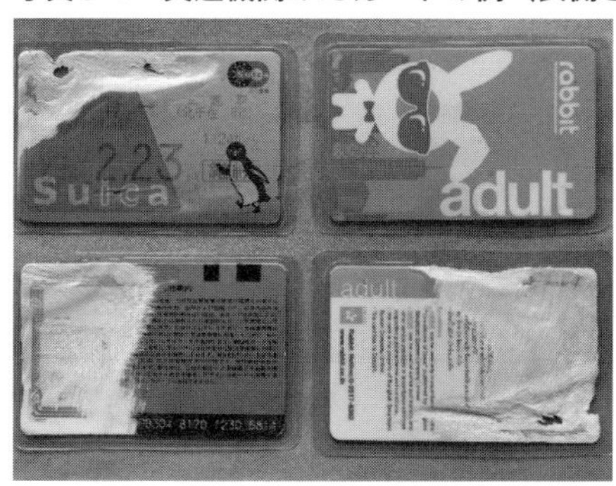

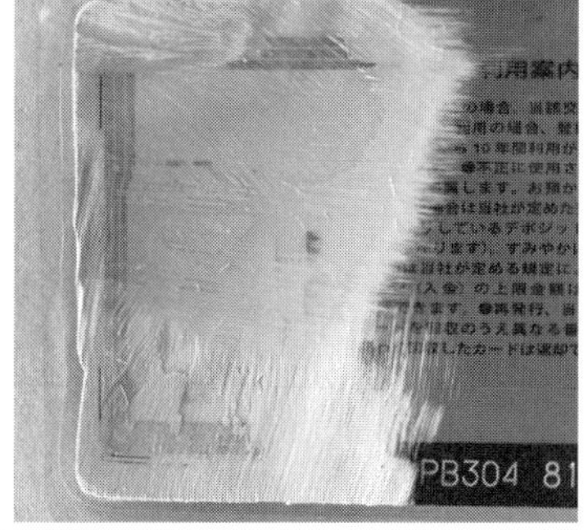

4枚のうち左側は、日本の関東地域のSuicaカード、右側はタイ、バンコクのスカイトレイン(BTS)のカード(左)。紙ヤスリで表面をこすると、プリントされたコイル部分が現れる(右)

写真9-5　ICカードのプリント回路の一例

提供：NTT Data、株式会社NTTデータ・アイ

のだ。

写真9-4左の下は２種類のICカードの表面のプラスチックを紙ヤスリで削ってみたものである。右は、そのうちのSuicaカードの裏面を拡大している。カードの形にそって、コイル状のプリントが見える。これが非接触の給電方式で、改札口を通過するシステムを作動させるコイルである。

これは最先端のナノ・レベルの技術である。ナノは基礎になる単位の10^{-9}倍で、０コンマの下に０が８個ならび、９個目に１が出てくる。0.000000001㎜の薄さである。この薄膜にコンピュータの中央処理装置(CPU)などがアンテナ・コイルとともにプリントされている。当然ながら、人間の素手では扱えない。ロボット技術でしか作れないシロモノである。

私たちは最先端技術のカードをポケットに入れ、駅の自動改札口の「IC」の表示部分に近づけ、その部分と感応させて通過できるシステムのなかで暮らしている。

この種の先進技術はWi-Fiなどのように、私たちの身近に広く応用され、いまやそれなくしては仕事も暮らしも成り立たない。

ICカードを紙ヤスリでこすって、内部に極めて薄くプリントされているコイルを確かめるのはなかなかむずかしいが、スマホのコードレス充電器のコイルなら、写真9-6のように簡単に内部を見ることができる。

コードレス充電器は、台にのせるだけでスマホの充電ができる。充電器の内部は、写真9-6の右に見るようにコイルが入っている。このコイルがスマホ側のコイルと反応して充電する仕組みになっている。

もう少し大きな物で言えば、既に触れたように調理器具として普及しているIH（電磁誘導加熱調理器）がある。IHは、Induction Heaterの頭文字

写真9-6　スマホのコードレス充電器（左）と内部のコイル（右）

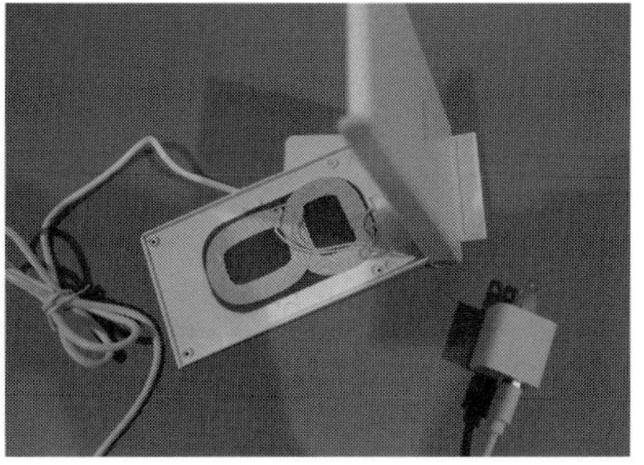

で、文字通り電磁誘導ヒータである。そのカバーを外すと、コイルがドラムのように巻かれている様子を見ることができる。

既製品コイルを使うか、巻線機ジョイで2つのコイルを作るか

ここで、この題材を扱うにあたり、一つの判断が必要になる。それは、既製品の機材を使うか、それとも自分の手で実験材料を作るか、どちらにするか？　この判断が求められることである。

従来の理科実験ならば、エナメル線を巻いた既製品のコイル2個を用意し、直ちに実験・観察に進むことになる。しかしSTEM教育を標榜する「パワーアップ」プロジェクトでは、2つのコイルをみずから手巻きするプロセスにこそ価値があると考えている。未来のイノベータを育てる観点に立てば、ぜひとも子どもたち自身がエナメル線の太さを選び、巻き数を変えるなどの工夫を試みて、みずから考える機会を持ちたい。それらの要因に配慮することが、モノづくりの「設計、デザイン」である。

完成した既製品コイルを使って、いきなり実験する従来のやり方は電気の実験として当然とされてきているが、STEM教育の観点には適さない。

みずからの手でコイルを手巻きすれば、当然ながら多大な時間と労力を費やす。しかし時間と労力を費やして取り組むことこそ、STEM教育の基本ではないだろうか。私とアシスタントの梅本仁夫が試作を続け、やっとの思いで木製の手作りの巻線機ジョイを考案したのもこの思いがあったか

らである。

時間と効率を優先すると、STEM教育は成り立たない。もちろん学校教育の枠組みのなかで取り組むのだから、時間的な制約は考えなくてはならないが、どこで折り合いをつけるか。この問題の解決は、つぎの点にある。

⑴STEM教育は題材を精選し、内容を絞ったものにする

思いつきの行き当たりばったりで題材を決めるのは避け、よほど時間をかけて練り上げた構想による題材だけを厳選する。

⑵題材の選定は、現実に指導する先生の判断と力量を尊重する

STEM教育の題材は、指導にあたる先生が十二分に経験した題材にかぎる。先生が自分の力量を発揮できることが、効果的な学習指導の決め手である。慣れない題材は敬遠しなければならない。

「パワーアップ」プロジェクトのワークショップは、先生たちの経験を広め深めるための研修活動の一環として実施したものである。現実のワークショップでは時間的な制約のため、やむなくエナメル線を巻き終えたサンプルのコイルを使うが、参加者の手元にはエナメル線と巻線機ジョイも配布されている。

ワークショップを受講した先生が、後日、STEM教育として子どもたちと取り組む時は、ぜひとも巻線機ジョイを使ってコイル巻きの経験をすることが望ましい。

「パワーアップ」プロジェクトは、手振り発電パイプのような素朴な実験・観察からスタートして、今日の科学技術の先進的な事態を認識するレベルまで達すること、これを目的として構想し実施した。STEM教育を標榜する以上、これを目標としたかった。そしてICカードの原理に迫るためにタイ製手まわし発電機T-Gemを使い、手作りの巻線機ジョイでコイル巻き作業をしてきた。

このプロセスが無い場合と比較して、実験・観察する先生たちや子どもたちの反応と印象には、どのような違いが生じるか、私の関心はここにある。

既製品の実験器具を使って、手軽に実験と観察ができるほうがよいのか、それとも厳選した実験と観察は、少し長い時間と経過を費やしてでも、みずからのモノづくり活動を含めて取り組むほうがよいのか。STEM教育の趣旨から言えば、後者が望ましいと信じている。

この点は現実に子どもたちと実験・観察に取り組む先生たち一人ひとりの判断によるだろう。学校は年間指導計画によって運営されている。授業時間の配分は、おのずと制約と枠組みがある。それに従って日々の授業は進んでいく。

ここまで記述してきたように、タイでも日本でも学校の現状からすれば、ゆったりした時間は取れないのが実情である。いま現実にSTEM教育に取り組もうとする学校と先生たちの多くは、日本では「総合的な学習の時間」やクラブ活動の時間を使うことになるだろう。タイでは日曜日の自由登校の時間を使うことが想定される。そうであれば、比較的に自由な学習展開ができるのではないだろうか。

ポケットに最先端のハイテク

私たちは、どこに行くにもスマホを持ち、ICカードをポケットに入れている。海外でも同じである。先進国だけではない。アジアやアフリカの首都のほか、地方に暮らす人々や子どもたちにも行き渡っている。スマホに見られるように、日々、新しい機能を搭載した機種が登場する。新しい性能のICカードもつぎつぎに広まっている。

ポケットの中に高性能のコンピュータを持つ暮らし、それが当たり前となっている。もはや多くの人が見直すことはないが、それらはファラデーの電磁誘導の発見、発電機の開発、電磁波の高度利用というつながりがある。元をただせば2個のコイルの相互作用が原点である。

子どもたちを未来のイノベータに育てるには、私たちの日常に潜む最先端技術につながる基本的な現象を、楽しく、徹底して学ぶようなSTEM教育が望ましいのではないだろうか。

10章

さまざまな基礎レベルの実験へ

控えの題材(リザーブ)を準備する

「パワーアップ」プロジェクトは、リモートで実施した。

それだけに予期しないハプニングやトラブルが起こる可能性がある。取り組む実験・観察の題材も多彩なものにしたかったが、実施日程が5日間と決まり、現実には日数の制約がある。

そのうえ、はじめて相手をする参加者たちの取り組みがスムーズに進むかどうか。ある程度の予測はしても、現実には思わぬ障害が起こるものである。予定した題材が計画した時間通りに消化できれば上々だが、中途半端で終わると参加者は消化不良になる。そんなことのないように配慮しなければならない。

逆に意外と円滑に進んで、予定より早く終わる場合もある。

それに備えて予備の題材を用意しておくのは、ワークショップを企画し実施する時の常識である。控えの題材を持っていて、その準備をしておくことによって、落ち着いてワークショップが実施できる。

私が控えとして用意した題材は、つぎの4つである。

⑴タイ製手まわし発電機T-Gemで240V電球は点灯するか？
⑵シャープペンシル芯の電球モデル実験
⑶磁石の磁界の観察記録
⑷コイルモータの制作と実験

これらは5日間の題材の日替わりテーマの関連性と、その日の時間的な余裕を考えて即興的に対応する。その柔軟な対応がワークショップを主宰する者の腕の見せ所である。

上のうち⑴⑵⑶はビデオクリップとして映像を提示する。ビデオクリップの映像だと一方的になりがちだが、実物を操作する面倒さと、実験作業で生じるトラブルから開放される。

⑷は、かなりの時間的な余裕がある場合にかぎって制作と実験をする。短い時間しか使えない時は、これもビデオクリップを使って映像提示とする、という計画にしていた。

以下に、控えとしてリザーブしていた題材の概要を紹介したい。

⑴タイ製手まわし発電機T-Gemで240V電球は点灯するか？

T-Gemを使う実験は、予定していた日程で一通り終了した。T-Gemのハンドルさえ回せば、たちどころに0～12Vの直流が発電する。必要なら12VのLED電球も点灯できる。LED電球とフィラメント型電球では、ハンドルを回す重さが断然違う。LED電球は、ハンドルを軽々と回して明るく点灯できる。フィラメント型電球では、ハンドルがとても重い。これを実感すると、なぜLED電球が急速に普及してきたのか、それが納得できる。

では、これまでタイの一般家庭の電球として使われていた220Vの交流の白熱電球、それをT-Gemで灯すことができるだろうか。日本なら100Vの電球を使う場面である。まずT-Gem 1台ではとうてい無理だと思われるが、では何台のT-Gemを、どのように使えばよいだろうか？

それを実験している様子が120ページの写真10-1である。右から2人

写真10-1　T-Gemによる220V電球の点灯実験

５台のT-Gemを使って実験する（バンコクIPST研究所、2020年２月）

目、わずかに白いキャップに白の半袖シャツが見えているのが私である。

私の前にあるのは、220Vの透明ガラスの白熱電球で、写真の５人がそれぞれT-Gemのハンドルを回している。実験に先立って、この５台のT-Gemは最初の１台のプラス（+）から、となりの人のT-Gemのマイナス（−）へ、そのプラス（+）から、つぎの人のT-Gemのマイナス（−）へ、と直列に接続している。

５人は手にするハンドルを、呼吸を揃えて時計方向に回す。もし１人がハンドルを放すと、そのT-Gemは他の人からの電気を得てモータになり、ハンドルが猛烈なスピードで回る。

ここでは５人がリズム良く、同じ方向にハンドルを回し続ける。

すると、240Vの白熱電球のフィラメントが赤くなってきて、点灯することが観察できる。つまり白熱電球は、もっぱら交流で使ってきたが、T-Gemの直流でも点灯することがわかる。

直流と交流の攻防については、８章に述べたように米国映画『THE CURRENT WAR（電流戦争）』（邦題『エジソンズ・ゲーム』）が参考になる。ワークショップの参加者には、この映画の紹介とともにタイでもDVDが出回っていることをビデオクリップを見せる場面で話したのだった。

⑵シャープペンシル芯の電球モデル実験

現代の家庭の照明はLED電球の時代である。

では、これまで長く使ってきたフィラメント型電球は、どのような発光のしかたをするのだろうか。それを身近な材料で実験・観察する方法がある。一部では既によく知られたシャープペンシルの芯を使う実験である。

写真10-2　実験に使う電源装置の例

ただし、この実験はT-Gemでは電流不足で効果的な実験ができない。そのため実験用のたとえば写真10-2のような電源装置が必要になることを事前に断っておく。

実験は、つぎのような手順で行う。

写真10-3に示すように、手近にある単1乾電池を小型の実験台として使う。ここでは単1乾電池の太さが、シャープペンシルの芯を固定するのに好都合である。プラス（+）側を上にして置いた乾電池に、ペーパークリップ2個を向き合わせて、半分ほど頭が出るようにビニルテープで巻いて固定する。ペーパークリップには外部から接続しやすいように短いリード線を取り付けておく。

乾電池に固定した2個のペーパークリップに渡すように、シャープペンシルの芯を挟み込んで固定する。この実験に使う芯は、炭素（カーボン）

写真10-3　シャープペンシル芯の電球モデル実験

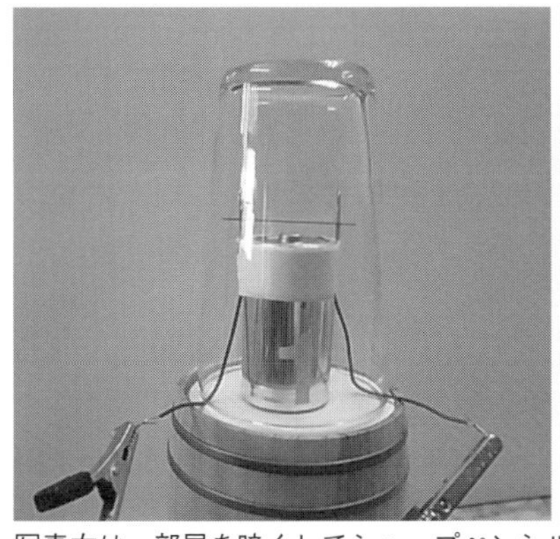

写真右は、部屋を暗くしてシャープペンシルの発光を効果的にしている

成分の多い２Ｂ、または４Ｂを選ぶ。カーボン成分は抵抗が大きく、電流を流した時に発熱と発光効果が大きい。

写真10-3のように適当な台にのせると、観察やビデオ撮影がしやすくなる。さらにガラス製のコップをかぶせると、安全への配慮もできる。発光を観察するには部屋を薄暗くすると効果的である。

準備ができたら、２個のペーパークリップのリード線と電源装置を接続する。

最初は電源装置の直流０Ｖからはじめ、ゆっくりと電圧を上げていく。それにつれて流れる電流量も大きくなる。電圧が４Ｖから５Ｖ程度になるとシャープペンシルの芯から煙が出てくる。芯に含まれている炭素成分が加熱されてガスになって放出する様子が観察できる。

さらに電圧を上げていくと、６Ｖくらいで芯が赤熱してきて発光しはじめる。そのあたりで電圧の変化を止めて、芯の発光を観察する。

赤熱した芯が次第に明るく輝く様子が観察できる。電圧を少し上げると白熱化し、やがて凄(すご)く青白い光となる。10秒ほどすると芯は切れてしまって、それで発光は終わる。もはや電流は流れない。

とてもシンプルな実験だが、ビデオクリップの映像として記録しておくと、いつでも必要な時に繰り返して提示できる。迫力のある実験だけに、はじめて見る人たちには興味が高まり、従来の白熱電球の発光方式を知るうえで役立つ。

(3)磁石の磁界の観察記録

６章で手振り発電パイプの実験をした。そこでは丸型磁石を透明パイプの中にセットして使っている。使った磁石は例のダイソーで購入した強力磁石だった。パイプを両手で持って、思い切り左右に動かす。パイプの中の磁石が動いて、磁石の磁力がパイプに巻きつけたエナメル線にLED豆電球を灯す電気を生み出したのだった。

８章では、同じ手振り発電パイプの中に磁石を出し入れする時に、検流計の指針が大きく振れて電気が発生することを実験・観察している。その原因となるのが磁石の動きである。磁石から目に見えない磁力線が出ている。

では、それらの様子を目で見ることはできないだろうか？

ここで、８章の写真8-4（103ページ）を見てほしい。小中学校の理科の教科書には、かならずこのような図、または写真が出ていて、誰でも一度は目にしたことがあるだろう。

しかし、写真8-4は、それらとは違う。この写真に写っている磁石が作る模様は、鉄粉そのものだという点である。指先で振れてみると、実物の鉄粉のざらざらした感触がある。

その証拠に、箱の中に入れた作品例では磁石が作った模様は、数日の時間経過で部分的に黄色く変色してくる。これは鉄粉が空気に触れて酸化したためである。料理に使う包丁にサビが生じることと同じである。

つまり、この磁石が作る模様は１回かぎりの実験・観察の結果を作品として残したものである。だから他に２つとはない唯一の作品例である。「パワーアップ」プロジェクトでは、時間の制約があるため、この制作プロセスはビデオクリップにして提示することにした。本書では実際の実験と作品の制作には少し長丁場の手順をたどることになるため、参考資料８に詳細を紹介している。

(4)コイルモータの制作と実験

コイルモータの制作と実験は、ワークショップで時間の余裕が生じた時に、ぜひ扱いたい題材である。なぜなら「パワーアップ」プロジェクトではT-Gemを使う実験からスタートして、発電の実験をしている。そしてT-Gemがモータ（電動機）になる実験にも取り組んでいる。

それらの発展として、ぜひ自分の手でモータの制作に取り組んでほしい。ここで作るコイルモータとは、124ページの写真10-4に示すものである。乾電池とその上に置いた丸型磁石、そして乾電池の電流によって、エ

写真10-4　コイルモータの例

ナメル線を数回巻いたコイルがまわり続ける。

制作作業に使う材料は、すぐに揃えることができる。ワークショップで使った単１乾電池と乾電池ホルダー、丸型の強力磁石、コイルを作るための１mほどのエナメル線（太さ0.6㎜、または0.45㎜）である。

乾電池ホルダーの両極のコイルを支持するには、厚紙とアルミホイル、小さいスチール製の目玉クリップ２個を用意する。ほかには紙ヤスリ、ハサミ、クリッパだけでよい。紙ヤスリを使う時には、机を保護するためカッティングマットがあるのが望ましい。

ステップ１　コイルを作る

写真10-4を参考にして、つぎの手順でコイル部分を作る。

①まず、単１乾電池にエナメル線を巻きつける。その時、先端部分を10㎝くらい残して巻き始める。

②乾電池にしっかりと６～７回巻きつける。エナメル線の丸く輪になった部分がバラバラにならないように乾電池からはずす。

③10㎝くらい残していたエナメル線で、輪になったコイル部分をまとめるように巻きつけてしばりつける。反対側にも残ったエナメル線を３～４回巻きつけて、しっかりとしばる。

④コイルの回転をスムーズにするために、この２カ所のしばる位置関係は、ほぼ180度にする。巻きしばりしたエナメル線の先は、それぞれ長さ５㎝程度を残してカットする。残した２カ所のエナメル線をまっすぐ外側に伸ばした部分がコイルの回転軸になる。

ステップ2　エナメル線の塗料をはがす

紙ヤスリを使って、左右の回転軸になるエナメル線のエナメル塗料をはがす。このステップもデリケートで、丁寧な作業が必要になる。

①片側はコイルしばりをしている付け根部分から、カットした先端まで、紙ヤスリで丁寧に完全にエナメル塗料をはがす。ここでエナメル塗料が絶縁物であることを思い出してほしい。少しでも残っていると、乾電池からの電流が流れにくくなる。

②もう片方の回転軸になる部分は、上側だけを紙ヤスリで丁寧にエナメル塗料をはがす。下側はエナメル塗料を残すのである。

ここでコイルの両側に伸ばした支持軸になる部分、その片側はエナメル塗料を半分残すことが、コイルの回転を続ける機能——後に述べる整流子の役割をする。

③アルミホイルで丁寧に包んだ厚紙を乾電池ボックスの両側に押し込んで、直立させる。その先端に目玉クリップを挟む。両側の目玉クリップの穴にコイルの左右の支持軸を通す。

この時、コイルが乾電池の上に吸着させた磁石に接触しないで、スムーズに回転することを確かめる。コイルの高さは目玉クリップを挟む位置で調節する。

これでコイルモータの完成である。うまく作るとコイルが見事に回転を続け、面白く楽しい卓上のアクセサリーにもなる。

使わない時はコイルを外しておく。そのままにしていると電源の乾電池がショート（短絡）して熱を持つことがあるので注意したい。

「面白さ、楽しさ」から探求に向かう

コイルモータは、はじめての人でも30分ほどで作ることができる。作る時に、エナメル線を数回コイル状に巻きつけてしばり、形を整えること、左右両方に伸ばした回転軸部分を直線状態にすること、何度もチェックして左右のバランスを良くすることなどに気をつけて丁寧に作れば、と

てもよい出来栄えになる。デリケートな手作業の訓練とモノ作りの基本を学ぶことになる。

このコイルモータは最もシンプルな構造だが、モータの重要な原理を学ぶこともできる。

乾電池の上にのせる磁石の磁極をひっくり返すと、コイルの回転方向が変わる。

この原理を理解するには、８章で登場した科学者の１人、フレミングが発見した「フレミングの左手の法則」を使う。この法則は、まず左手の親指、人さし指、中指を三方に直角に伸ばす。人さし指を磁界の向き、中指は電流の向きとした時、親指がコイルの回転する方向、つまり運動（力）の方向になる、というものである。

コイルモータでは、①乾電池からの電流の向き、つまり乾電池のプラス（＋）からマイナス（－）への向き、そして②磁石の磁界の方向、つまりＮ極から出てＳ極に向かう方向、この２つがコイルに働く力、コイルの回転方向を決める。

124ページの写真10-4をよく見ると、乾電池のプラス（＋）が左に、マイナス（－）が右になっている。磁石のすぐ上にあるコイルの電流は、乾電池のプラスから出てコイルを回ってきて「右から左」に向かって流れていると思われる。左手の中指は、その向きになる。

乾電池の上の丸型の磁石の磁極は「Ｎ」となっている。だから人さし指

写真10-5　フレミングの左手の法則(左)、これを写真10-4に当てはめてみる(右)

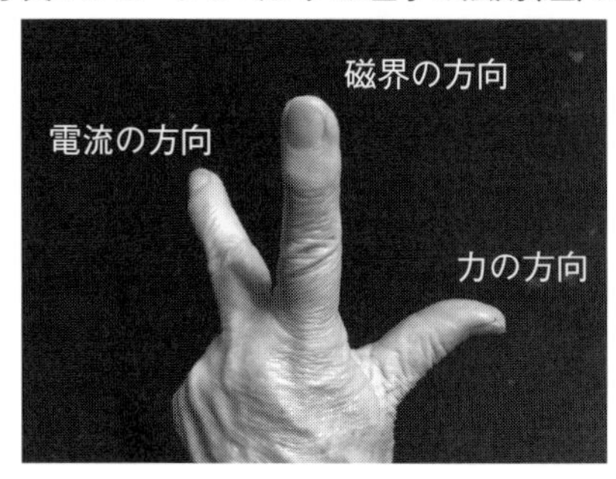

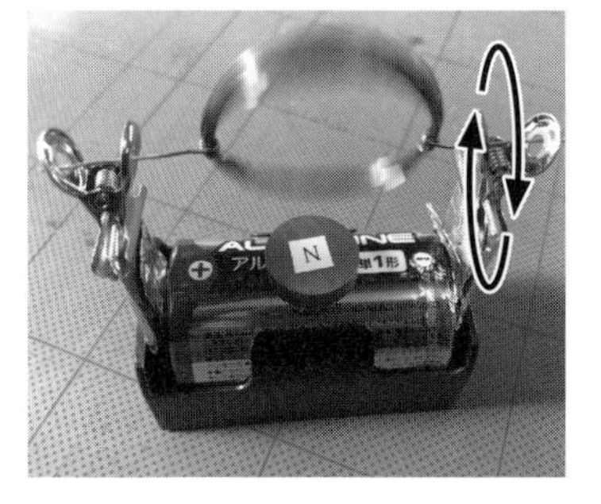

は「上」向きになる。すると親指は手前から奥に向かう。左側の目玉クリップから見ると、時計方向に回転する。

モータの整流子の役割

もうひとつ、このモータの重要な原理は、「なぜ片側の支持軸だけ、エナメル塗料を半分残すのか？」である。

左右の回転軸となる部分のエナメル塗料は、片方は全部はがす。もう片方はエナメル塗料を下側半分だけ残す。これがコイル部分の回転を続けることに欠かせない整流子（コンミュテータ、commutator）、つまり電流を一定の方向にだけ流す機能を発揮する。

もし、両側の支持軸ともエナメル塗料を全部はがすと、コイルが半回転（180度）して磁石の上にきた時、コイルに流れる電流の向きが逆になる。フレミングの左手の法則を使うと、親指の向き、つまりコイルの回転は奥から手前に向かう。そのためコイルは回転を続けることができなくなる。

片側の支持軸のエナメル塗料を半分残していると、半回転してきた時、塗料によって絶縁されて電流は流れない。しかし、この時コイルには半回転してきて回り続けようとする惰力、別の言い方では慣性力（イナーシャ、inertial force）が働いている。

その回転を続けようとする力のため、さらに半回転さえすれば元の位置になる。そこでふたたび同じ方向の電流を得て、同じ方向に回る、という繰り返しでコイルが回転を続けることになる。これ以上の詳しい解説は、つぎのコラムに記している。

コイルモータは誰が作っても楽しいものだが、そこから基礎レベルの電気の重要な概念や事象を学ぶことができる。しかも頭脳のトレーニングにもなる。

COLUMN

コイルモータは、なぜ片側のエナメル塗料を半分残すのか？

コイルモータを作る時、回転するコイルを支持する回転軸の片方のエナメル塗料を下側半分残すことが大切だと強調した。なぜ、そんなことをするのか、と不思議に思われるかもしれない。

もし両方ともエナメル塗料を完全にはがすと、コイルは回転しない。これは、実際に両方のエナメル塗料をはがしたコイルを作って実験してみるとわかる。コイルは時計方向にも反時計方向にも回らない。

片方の回転軸部分のエナメル塗料を半分残す。これが絶対に必要なポイントである。その理由をフレミングの左手の法則と略図を使って説明してみよう。

⑴コイルモータで使うフレミングの左手の法則

フレミングの左手の法則を使って考える。

左手の３本の指を直角にして、人さし指を「磁界の方向」、中指を「電

写真１　モータに適用するフレミングの左手の法則

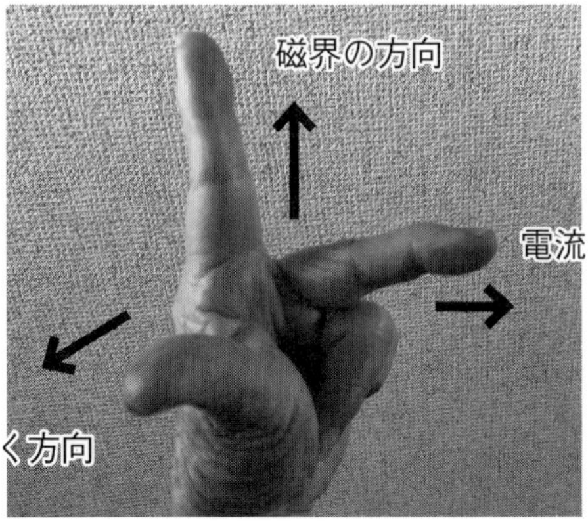

流の方向」とする。この時、親指の向きがコイルの受ける「力の方向（運動の方向)」になる。

これを、つぎの図１から図４に当てはめると、コイルが受ける力の方向を知ることができる。

図１から図４は、いずれもＮ極を上にしている。したがって人さし指は上向きである。そして中指を電流の方向にすると、親指の向きがコイルの受ける力の方向になる。

⑵エナメル塗料を両方ともはがす

図１は左から右に電流が流れ、磁石の上のコイルは手前側に回転する力が働く。図２は、そのコイルが半分回った時（180°回転した時）の図である。磁石の上のコイルに電流が流れていれば、電流の向きが逆になるのでコイルには反対方向に動こうとする力が生じる。

こうしてコイルは手前側にも向こう側にも力を受ける。そのため結局は回転し続ける力を得ることができない。

図１

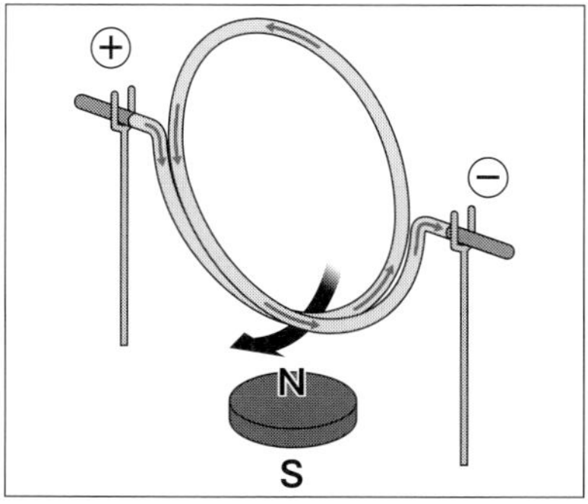

図２

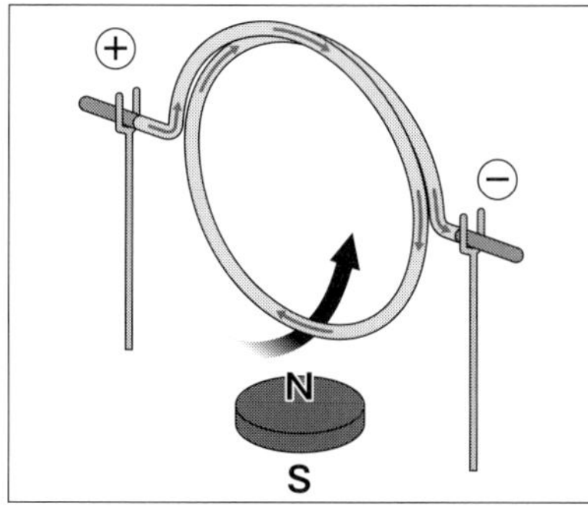

回転軸の左右の両方のエナメル塗料を全部はがすと、コイルが半回転した時、磁石の上にくるコイルに逆方向の電流になる。コイルは向こう向き（逆方向）の力を受けるため回転しない

⑶エナメル塗料を半分残す

図3

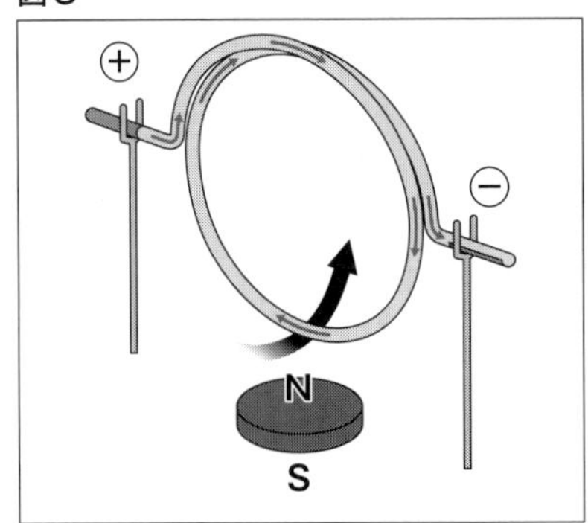

図4

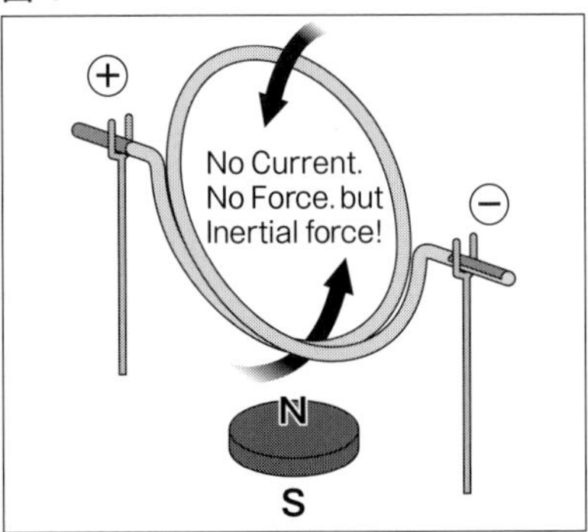

回転軸の右側のエナメル塗料を半分残すと、コイルが半回転した時、電流は流れない。コイルは電磁誘導の力を受けないが、回転を続けようとする惰力、慣性力によって同じ方向に回転を続け半回転すれば、また左の図3となってコイルに同じ方向の力が生じ、回転を続ける

図3は左から右に電流が流れ、磁石の上のコイルは向こうむきの力を受ける。図4は、このコイルが半回転した時の様子である。右側の支持部分にエナメル塗料が残っていて、電流は流れない。しかしコイルには向こうむきの回転を続けようとする慣性力がある。

その慣性力（イナーシャ、Inertial force、惰力とも言う）があるため回転を続けると、図3の状態に戻る。ここでふたたび向こうむきの力が生じる。という繰り返しが生じる。つまり同じ方向の回転力が続いて、コイルは回り続ける。

コイルモータのようなシンプルなものでも整流子（コンミュテータ、commutator）と呼ばれるモータの機構にとって重要な部分が役立っていることがわかる。

11章

世界で未来のイノベータを育てる

日本とタイ、そしてアセアン10カ国から世界に

イベントとしての「パワーアップ」プロジェクトのワークショップは、ここまで紹介した題材の制作と実験・観察で、いったん終える。しかし、それは新しい始まりでもある。

タイで実施したプロジェクトは、タイ国内はもとより近隣の国にも広げていく。もちろんプログラム内容や題材はタイでの実施結果を点検して、より良いものにしなければならない。既にワークショップの構想に参画する人たちが増えてきているし、新しい斬新な工夫も加味されるに違いない。

そうした広がりと新しい人たちの参入こそ望ましい。それによって、STEM教育が、これからの社会の持続可能性の開発（SDGs：Sustainable Development Goals）の潮流と一致した方向に進むことができる。

本書に紹介した題材は、今後の展開のための検討材料となる。そのためにも、ここでプロジェクトを振り返っておきたい。

画面越しに修了証を手渡し

私はこれまで、対面での現地ワークショップは数かぎりなく経験してきた。そこで、日本では見られないような光景を目にしてきている。

たとえば朝から夕刻まで１日のプログラムでは、ランチのほか、午前と午後にそれぞれティーブレークがあり、クッキーのような軽食とコーヒーや紅茶の用意がある。これは米国や欧州でのワークショップでも当たり前に見られる光景なので、別に不思議とも思わない。ただ日本の場合、教育委員会などが主催するプログラムでは、お昼のお弁当のほかは飲み食いが厳しく制約されることが多かった。受講する側からすれば、やわらかい雰囲気で開催されると効果は高まると思うのだが、日本国内のワークショップはとても硬い雰囲気になりやすいものだった。

もう一つ大きな違いは、日本でのワークショップの多くはプログラムが終われば、短い挨拶はあっても特別なセレモニーは無い。ところがタイやアセアンなどの国では、その日程が１日、あるいは２日程度のプログラムだったとしても、例外なく１時間くらい費やして終了セレモニーが行われる。参加者にとっては、これも大切なプログラムである。このために特別に着飾ってくる人も少なくない。

このセレモニーで手渡される修了証は、参加者が後に昇進する時などに役立つ。一人ひとりの研修経験を証明するものなので、毎回の修了証は保存しておくのである。以上の事情は、欧米で開催されるものでもほぼ同じである。

タイでは、アユタヤ地域総合大学ARUを会場に何度も現地ワークショップを実施した。その最終日に渡す修了証は、学長が１枚１枚に自筆でサインをする。ワークショップの指導を担当する私もプリントされた自分の名前の上に手書きでサインをする。丁寧に30枚、40枚のサインをするのは、かなり労力がいる。

司会が一人ひとりの参加者の名前を読み上げ、私の前に出てきて一礼の後、私が手渡す。この時、受講者と私の２人が修了証に手を添え、とっておきの笑顔で写真撮影をする。これが大事なのである。特に私のような外国人が指導助言をしたワークショップの修了証と記念写真は、後になってよほど役立つのか、とても大切に扱われる。

最後はグループ写真の撮影で終了になる。30人ほどの参加者でも、このセレモニーに１時間はみておかなくてはならない。

ところが、「パワーアップ」プロジェクトはリモートで実施した。大阪にいる私とバンコクのSTEM教育センターのプロジェクト・チーム８名。そして日本の1.4倍あるタイの国土に点在する34カ所の学校の73人の先生たちを結んで実施したのである。それで最終日のセレモニーはどうなるのか、どのような方法で参加者一人ひとりに修了証を手渡すのか、これが気になっていた。

バンコクのチームは事前に修了証のひな型を送信してきた。それに指定された通り青色の自筆サインを書き込む。青色を使うのは国際ルールの一つとして固執されている。それをチームに送信して、画面越しで手渡すリハーサルをした。

そして当日。画面に参加者の一人ひとりが、とびきりの笑顔で登場し、画面越しに修了証を手渡し、受け取るジェスチャーをする。そして、その画面が記念写真とされたのである。

修了証には写真11-1のように、参加者の名前がゴールド文字でプリントしてある。それに主催者であるSTEM教育センターのポンパン女史のサイ

写真11-1 「パワーアップ」プロジェクト修了証

中央に参加者の「PREECHA POOLLARP」の名がプリント。STEM教育センター代表のサイン（右）と私のサイン（左）がある

ン（右側）と私のサイン（左側）が入ったものになっていた。実物は後日、一人ひとりに郵送することになった。そして参加者代表が英語で短い謝辞を述べ、ついで私のファイナル・スピーチで終わった。

こうして大阪に居ながらにしてタイの34カ所、73人の参加者に画面越しで修了証を渡すセレモニーを行った。私にとっては、はじめての体験だった。

参加者の「パワーアップ」に対する評価

ワークショップを構想し準備し、実施する。そのつぎは評価である。

参加者たちにボールを投げたが、どのように返ってくるか。それが気がかりであった。彼らの反応は、今後のための反省の手がかりにもなる。ともかく大阪から遠いタイの34カ校のことである。果たして、どのようなことになるのか？

「パワーアップ」プロジェクトは、ユネスコ・アジア太平洋地域事務所・STEM教育センターが実施するプロジェクトである。それだけに参加者のプロジェクトに対する評価は最初から大いに気になっていた。これについては、早い時期からプロジェクト・チームに検討するように促していた。

しかし日本と違い、タイはトップダウン気質が強い国である。誰もが自由に意見をしてくれるような雰囲気はあまり期待できないため、あらかじめ私なりの評価方法とその内容をチームに提案していた。

「パワーアップ」プロジェクトは３月の１カ月間、毎週末に合計５日間実施したものである。連続ではなく１週間ごとの実施である。内容面では続いていても、参加者は毎回新しい題材を目の前にする。

バンコクのIPST研究所から各参加校に送付する実験機材の種類と数の多さだけでも、先生たちはかなり混乱をすると想定していた。各参加校に配布した実験材料は、以下の通りである。

【プロジェクト１】手まわし発電機、T-Gem：17種類51点

【プロジェクト２】乾電池と豆電球の大型模型：22種類50点

写真11-2　バンコクのIPST研究所が参加校34校に配布した３箱の実験機材（左）と中身の一部（右）

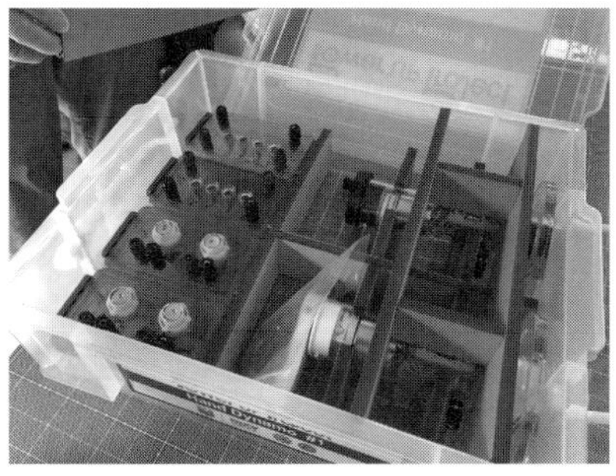

【プロジェクト３】手振り発電パイプ：20種37点

このように参加した各学校に一挙に59種類138点もの機材が到着する（写真11-2、および巻末の参考資料９参照）。それだけでも少なからず混乱が生じ、前回に行った実験のことは忘れられてしまう可能性がある。だから毎回、短い時間でもその日に実施した内容について参加者からの評価を得るようにしたいと考えた。

事前に５日間の評価項目を用意してプロジェクト・チームに知らせ、タイ語で質問してもらうように準備した。それらの評価の全体計画と評価結果をすべて書くには分量が多く、かつSTEM教育センターの公式の承認が必要になる。そのため、ここでは本書の趣旨に見合う内容だけを紹介するにとどめたい。既に国内の研究会（日本科学教育学会、愛媛大学、2022年６月）で報告したもので、それに先立ってセンター代表のポンパン女史の許可を得たものである。

参加者による評価結果

私が最も知りたかったのは「参加費を払ってでもワークショップに参加したいと思うか？」という点である。

というのは、日本国内でも参加費を取らない無料のイベントが多い。それに対して参加費や材料費を必要とするイベントやワークショップは極めて少ない。一般に、教育に関連するイベントは主催者が経費負担し、参加者は無料とされる傾向がある。特に教育委員会が実施するものは、そのほとんどが無料である。

タイなどでは、それ以上に参加費不要が常識になっている。さらにランチやティーブレークのスナックを用意する。わずかながら交通費まで支給されることも珍しくない。これが習慣として根付いているのである。

この「タイとアセアンの常識」が続いていることは以前から不思議に思っていた。もし、わずかでも自分のポケットマネーを出せば、受講する先生たちの熱意は、より高くなるのではないだろうか。何でも無料が当たり前になっているかぎり、研修の効果が高まらない状態が続くように思えて仕方なかった。「パワーアップ」プロジェクトでは、この点を調べたいと思った。

そこで３日目の「【プロジェクト２】乾電池と豆電球の大型模型」を終えた後に、表11-1のように三択「A.　はい」「B.　どちらとも言えない」

表11-1　3日目の終了時の質問項目と回答結果

番号	質問内容 回答人数73	A. はい		B. どちらとも言えない		C. いいえ	
		人数	%	人数	%	人数	%
1	今日のプログラムは楽しかった	71	97.3	2	2.7	0	0
2	これまで今日のような経験は少なかった	69	94.5	1	1.4	3	4.1
3	模型作りは、もっと必要だと思う	66	90.4	7	9.6	0	0
4	今日の参加費が100バーツでも参加する	60	82.2	13	17.8	0	0
5	もっと違った制作もしたいと思う	72	98.6	1	1.4	0	0
6	今日の制作を生徒たちにもさせたい	70	95.9	3	4.1	0	0
7	自分のお金で既製品を購入したい	37	50.7	21	28.8	15	20.6

「C．いいえ」の質問をした。

この７つの質問のうち、最も注目していたのは「４．今日の参加費が100バーツ（約350円）でも参加する」、そして「７．自分のお金で既製品を購入したい」の２つだった。

この２つの質問は、タイ人だったらデリケートな問いなので、質問しにくい。その点、外国人の私は知らんふりしてやってみた。結果は表の通り、100バーツ出しても参加したいか、に対して「はい」が８割、「どちらとも言えない」が２割弱。「いいえ」は０だった。

現地通貨100バーツは、多くのタイ人にとって、飲み物かデザート付きの昼食代に相当する。ふつうは自分が研修を受けるために出すのは好まれない額だ。それが、この日の乾電池と豆電球の制作と実験を終えた日にかぎって言えば、73人のうち60人が「はい」と答えたことには、ホッと胸をなでおろした。

そして「６．今日の制作を生徒たちにもさせたい」の質問に対して「はい」と回答したのは９割を超える70人だった。

もっともタイ人の気質には、何事によらず質問者に好意的な回答をする傾向がある。その傾向を意識しつつ受け止めておきたい結果である。

先生の先にいる子どもたちへ

私が期待するのは、「パワーアップ」プロジェクトを受講した先生たちが、これを契機にして最も苦手だった電気の実験に自信を持つことである。それを通じて、日常の授業と学校運営に新しい意欲を持ってくれればよい。

しかし、それ以上の秘かな期待は子どもたちである。彼らは大人や先生たちよりも自由な時間を持っているし、とらわれない自在な発想をする。だから先生がプロジェクトで扱った機材を見せれば、それに刺激を受けて、先生が気づかないような身近な材料で工夫する可能性が大きい。それこそ未来のイノベータの萌芽（ほうが）である。これを先生たちは見落とさないでほしい。

「パワーアップ」プロジェクトを終えて2カ月後のことだった。その日、私はLINEのビデオ通話でバンコクのIPST研究所にいるナロン氏と話していた。この年の11月に計画されているラオスとカンボジアでの第2フェーズの機材の打ち合わせである。この時、彼が「パワーアップ」プロジェクトに参加した学校の、その後の授業風景を記録した動画の一つを見せてくれた。

写真11-3は、その時、私のディスプレイに映った1コマである。ディスプレイ画面の右側にずらりと並んでいる顔は、プロジェクト・チームのスタッフの一部である。注目したいのはメインの写真である。写っているのは5個の小型の空き容器と思われる。そのキャップ部分に豆電球ソケットが埋め込まれている。

これこそ、私が心秘かに期待していたテクノロジー・トランスファ（技術移転）である。IPST研究所は4個の豆電球ソケットを取りつけたユニットを実験機材の一つとして提供したのだった。しかし、その形に固執する必要はない。身近で入手できる空き容器を使って自分たちなりに工夫し、機材を制作する。これは基本的なことながら、ぜひとも別の学校でも見習ってほしいことである。これこそ「パワーアップ」プロジェクトが目的としてきたことの一つである。

写真11-3　プロジェクト終了後の授業風景の動画

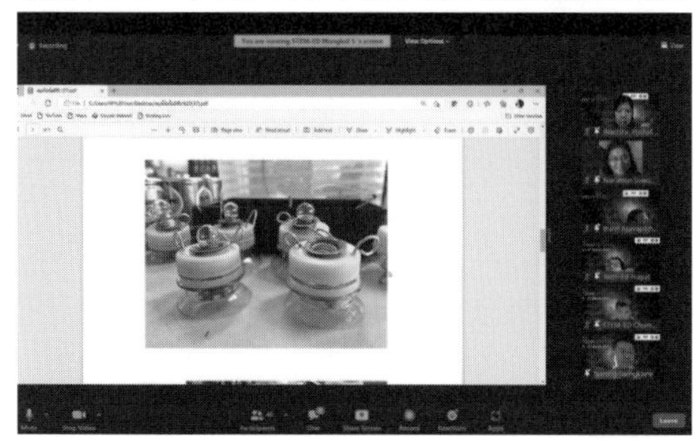

「パワーアップ」プロジェクト実施後の、タイの学校での取り組みの様子がわかる

「よかった！」。思わず私は声に出してしまった。ワークショップで話したことが、さっそく活かされているのである。

全国共通学力テストONETの好結果への期待

私が「パワーアップ」プロジェクトで前提としているのは、「未来のイノベータを育てる」ことである。それともう一つ、秘かに最大の課題としていることを明かしておきたい。

それは、タイではONET（オーネット）（Ordinary National Education Test）と呼ばれる全国学力テストが実施される。「パワーアップ」プロジェクトがその成績を上げることに役立つこと、これである。ONETは、小学生と中学生を対象に全国規模で実施される主要科目の共通テストである。

日本やほかの国にも同じようなペーパーテストがあるが、タイでも子どもたち自身、保護者、もちろん先生たち、そして校長や教育委員会の関係者の誰もが大きな関心を持っている。その関心の度合いは、STEM教育への期待の比ではない。

地方の教育施設に恵まれない多くの学校も、ONETの成績結果には一喜一憂する。少しでも高い結果が出れば、みんなが大喜びするのである。

「パワーアップ」プロジェクトは、そのONETで結果を出すために、なんとしても役に立たなくてはならない。では、どのような策があるか――。

学校の日常は授業がメインである。先生たちは教科書の内容を消化することが最大の仕事である。これまでの多くの教育協力は教科書の内容を点検して、むずかしいとされる題材を選び、それに対処する。いまだにこれが長い間の常識とされてきている。

私の発想は、その常識にとらわれないことである。

教科書の内容や指導要領にとらわれていると、あれもこれもとなって、結局は焦点がぼやけてしまう。だから教科書からは、いったん離れる。教科書の内容は数年もすれば変わる。ましてむずかしい題材は、いずれ姿を消すことも珍しくない。変わることが想定される題材に取り組む余裕はない。

それよりも普遍的な題材、長い間、多くの先生たちが苦手とし、厄介扱いされている題材に絞る。これまで述べてきたようにSTEM教育（科学、技術、工学、数学）の共通の底辺になる題材。それが無くては一刻も暮らしも仕事もできない題材、「電気」である。

STEM教育の「パワーアップ」プロジェクトは、ほんの臨時の追加的なプログラムだ。ふだんの授業の進捗の邪魔になってはいけない。だからこそ細心の注意を払い、先生たちのふだんの授業に強烈なインパクトを与えるような題材を選んでいる。

一言でいえば、「電気の実験は苦手だ、厄介だ」という大多数の先生の思い込みを「電気の実験は楽しい」に大転換する。先生が楽しくなれば、子どもたちも喜んで学ぶことができる。

タイ製手まわし発電機T-Gemのハンドルを回してLED電球が点灯する……これだけで、まず例外なく誰でも「にっこり」する。なぜか？　自分の手で自由自在にLEDを点灯できるからである。

実験を楽しいと感じることができると、先生たちは苦手を克服した自信を持つに違いない。そうすれば、日常の授業の取り組みにも違った工夫がなされる可能性が高まる。そして、それが主要科目の学習指導にもきっと反映されていく。その結果、ONETのペーパーテストの結果を高めることに役立つ。

遠回りのようだが、そして「パワーアップ」プロジェクトだけでは効果は薄いかもしれないが、それでもSTEM教育の普及の波に乗って、落ちこぼれそうな学校と先生たちが元気を出してくれることを期待したい。

苦手で厄介な題材をいつまでも抱えていると、持病があるようなもので、健康体にはならない。先生が健康でいることが子どもたちの成長には欠かせない。

もちろん１回きりのプロジェクトの実施では、効果のほどは知れている。その後のフォローアップは続けなくてはならないだろう。その点、最初にタイ国内の34カ所の学校を対象に実施できたことは、今後の広がりのための拠点となることが期待できる。地域から注目され、学校の活性化を維持していくことが決め手になる。

実験・観察は少なくていい

ここで勘違いしないでいただきたいのは、実験をやればいいということではない。ペーパーテストの結果を上げるには、厄介な実験・観察はしないことが望ましい。なぜなら、鮮やかな観察がしにくい実験や結論がわかりづらい実験・観察は、子どもたちに混乱を与え、実験嫌いになるだけでなく、理科や科学技術の学習に対する興味を喪失してしまうからだ。

STEM教育の思潮が広まるにしたがって、学校では、これまで以上に実験や作業活動が試みられるにちがいない。しかし中途半端な取り組みでは、見た目には活発な活動に映るが、単なるお遊びに終わってしまう可能性が高い。これでは基礎・基本を学ぶことには、百害あって一利なしである。現実に多くの学校は、そのような取り組みをしている余裕はない。

本書で紹介した「パワーアップ」プロジェクトでは、実験と作業を中心にしている。それだけに実験重視と受け止められるだろうが、そうではない。ここで主張しているのは、「実験・観察はSTEM教育に欠かせない。しかし取り組むなら一つひとつの実験と作業に徹すること」である。時間を費やし、失敗を経験し、とことん準備に取り組むことである。そうでなくては実験と作業活動の値打ちはない。モノづくりと、それに伴う手を動かす「hand's on」はSTEM教育の基本である。

そして、まずは子どもたちよりも先生たちが、経験することの重要性を知ってほしい。先生が手慣れていない題材、十分な自信を持てない題材を扱っても、学習活動がスムーズに展開できる見込みはないのだ。

子どもを取り巻く大人たちの協力を

実験に対する興味・関心を高めるための具体的な指針として、「パワーアップ」プロジェクトに参加した学校と先生たちには、バンコクのIPST研究所から届いた実験器具を展示し、ディスプレイすることを勧めている。それによって、子どもたちは、いま学校にどんな実験器具があるのか、どんな機材を使えるのかがわかる。また関連して、もっと他に必要なものは何かが見える。

その目玉になるディスプレイの一つがT-Gem――タイ製手まわし発電機である。タイ製だからこそ、タイの人たちの自尊心を高揚させる。そしてSTEM教育の潮流が自然に広まることを期待したい。

ほかの先生たちにも目に見える状況を用意すれば、学校の中で相互の意思疎通に役立つ。展示している機材を前にして、その使い方や発展的な扱いについて話す機会が増える。先生たちが少しでも活発になると、先生たちの雰囲気は積極的になる。学校に来る保護者の目にも学校の取り組みの一部が見える。保護者がどのような支援や協力をすればよいのかがわかる。

「パワーアップ」プロジェクトが提供しているのは、基礎レベルの電気実験の機材である。家庭でも仕事でも使う電気の実験であれば、保護者や地域の人たちも関心を持つに違いない。そうなれば協力や支援も得やすい。

さらに、このようなタイでの、そしてアセアンでの取り組みが、日本にとっても好ましい刺激となり、相互交流が進むことを期待したい。

未来のイノベータを目指すなら、子どものうちに基礎を学ぶことである。広く深い基礎を育てることが、未来で先端を開いていく土壌になる。

コロナ禍は国境を無くした

オンラインによって直線距離で約5000㎞彼方の参加者一人ひとりと向き合う。それもバンコク周辺だけではない。北部、東北部、中部、そして南部と、日本の約1.4倍の国土に分散している地点である。その人たちに画面越しに修了証を渡す。これは何とも奇妙な感覚だった。こんな経験をするのもコロナ禍によるものだった。コロナ禍があって、何としてでもリモートで実施せざるを得なかった。

コロナ禍は国境を無くした、というのが私の実感である。

私たちの多くは日本に生まれ育って、日本人として生きている。日本で学び、働き、暮らす。そして日本で生涯を終えるのが長い間の常識だった。

しかし、それは急速に変化している。いま目の前にいる子どもたちは、私たち大人が経験してきた以上に外国人にまじり、外国人と働くことが当たり前になる。それだけに彼らは、その成長過程で、これまで以上に日本人としてのアイデンティティを揺るぎないものにすることが大切になる。「共に生きることを学ぶ（learning to live together）」は、ユネスコ21世紀教育国際委員会が1996年に刊行した報告書『学習：秘められた宝（Learning: The Treasure Within）』の中で、教育の４本の柱の一つとしたものである。この報告書から四半世紀が経過し、より一層に、この言葉が現実的で必然的なものになっていると感じる。

もう一つは、環境問題を考える際によく言われてきた「地球規模で考え、地域で行動する（Think global, act locally）」という言葉である。私のタイでの取り組みは、まことに小規模なものだが、その思いだけは強い。具体的には、扱う題材が国際レベルで通用すること、これを心がけてきている。

タイの34カ校の先生たち向けのSTEM教育、「パワーアップ」プロジェクトも、この２つの信条のもとに構想し、実施しなければならないという思いがあったのである。

COLUMN

「パワーアップ」プロジェクトの枠組みと評価の観点

何事によらず、評価は外部の人によるのが正統なやり方である。

教育評価、そしてSTEM教育の評価も同じである。私は評価研究とは距離を置いてきた経過があり、専門ではない。もっぱらプロジェクトを構想し企画・立案と準備、実施した当の本人だから、評価はできれば避けたい話題である。

しかし、それでも「パワーアップ」プロジェクトについては評価を試みておきたい。その理由は、このプロジェクトが外部から評価し検討されると想定するからだ。それに先立って、愛着があるだけに自己点検と評価を試みておきたいのである。

表1の項目は、そのための暫定的な試行版だが、外部評価を受ける時にも参考にされて、役立つであろうと思われる。

STEM教育の授業実践を対象に行われる観察分析は、STEM－OP（Observation Protocol）と呼ばれる手法が既に試みられている。しかしSTEM教育の教師教育プログラム、題材、実践活動を対象にした評価は、ほとんど着手されていない[*3]。

それらの動向を参考にして「パワーアップ」プロジェクトの暫定的な試行版の枠組みを検討してみた。それが表1の「A. STEM教育の教師プログラム要因」である。

それは9項目に集約できた。これら項目に「パワーアップ」プロジェクトが、どのような対応をしているか概要の整理を行った。これによってプロジェクトの事例の概略を検討できると思う。

＊3　Roehrig, et al.（2022、September）Development of a Framework and Observation Protocol for Integrated STEM, JSSE（日本科学教育学会）第46回年会論文集 53-56

表１　STEM教育の教師教育プログラムの枠組みと評価の観点（暫定／試行版）

A. STEM教育の 教師プログラム要因	B.「パワーアップ」 プロジェクトの事例	評価
1．STEMの重要な共通基盤の題材	電気の基礎レベルの一連の題材	A B C
2．モノづくり活動の実際的な体験、デザイン活動の展開	手振り発電パイプ制作、コイル巻線作業など 乾電池と豆電球の大型模型の制作	A B C
3．実験・観察の鮮明さと理論への発展	実験・観察から重要な基本法則の再確認	A B C
4．発見的な知識と概念の獲得	手作りの素朴な実験からアプローチする	A B C
5．該当科目（主に理科）の学習活動への応用	科学嫌いの生徒の実験参加への配慮	A B C
6．日常の授業への効果、インパクト	教師の苦手意識の克服と自信の回復	A B C
7．現代の先進科学技術への広がり	ICカードなどの非接触給電のモデル実験	A B C
8．科学技術史の点検と関連、Appreciation の配慮	ガルヴァーニ、レンツ、ファラデー、エジソンなどの話題への発展	A B C
9．実施のタイミング、実施期間、頻度、支援体制などの配慮	2022年３月、現地夏期休業期間、週末５日間の実施 SEAMEO－STEM教育センター	A B C

A：大いに当てはまる／大いに適切
B：やや当てはまる／やや適切
C：まったく当てはまらない／大いに不適切

簡潔にするため評価は「A：大いに適切」「B：やや適切」「C：大いに不適切」の３段階としている。

本書をお読みいただいた方が、この三択にマークを試みた時、どうなるだろうか。そのような外部評価の試みをお願いしたい。

表１は暫定／試行版としているが、いずれ厳しい批評や評価の対象になることは覚悟している。そして、そのような経過を経て「パワーアップ」プロジェクトをより良いものにする工夫を続けたいと思っている。

12章

STEM教育の原点は日本にある

より良いSTEM教育の構想と実施のために

最後となる12章では、日本におけるSTEM教育の取り組みと、諸外国での動きについて触れておきたい。

21世紀に入って、はや四半世紀になろうとしている。いまや教育の世界の思潮の一つはSTEM教育である。これは米国から始まっている。そしてタイでは国際会議を開催するなど、日本よりも早く対応をしてきている。

もちろん、日本国内でもSTEM教育への取り組みははじまっている。しかし、それらを見るかぎり、思い入れと意気込みは感じられるが、小規模で一時的な取り組みに見えてしかたない。その試みが10年後といわず5年後にも、より充実した取り組みとして進んでいるかどうか、とても疑問に思える。

諸外国に比べると動きが遅い文部科学省も腰をあげ、政財界や経済界も、こぞってSTEM教育と言い出している。これまでもそうだったように、政治家が教育を口にするのは、財源が無くても教育は票になるからである。子どもを持つ私たち保護者や家族は、将来に漠然と不安を感じている。それに応えるように新しい響きの良い文句をまき散らす。さらに米国から起こった新しい思潮だというのも効果がある。

先進的な教育革新を旗印にする一部の教育関係者や研究者、物好きで新しい動向に敏感な学校と先生たちが、お祭り騒ぎをはじめているのでなければよいと思う。現実には全国各地の学校では、地道な教育活動に取り組む大多数の先生たち、そして何よりも子どもたち、子どもの将来を期待する保護者や家族には、混乱の原因にならないことを願っている。

なぜなら、一時的な新しい試みよりも基礎的な国語、算数・数学、理科、社会科などを、保健・体育で身体を鍛えることとあわせて、もっと効果的に教えることに力を入れてほしい。それらを優先するなら、大多数の学校にはSTEM教育の試みをする余裕はないように思える。

従来、見られた現象だが、先進的な動きを察知して指導的な役割をしようとする人のなかには、5、6年もすれば、もう興味・関心がつぎの波に移る人が多い。数年前の取り組みなど忘れたかのように、つぎに起こる新しい潮流の先導役をする。そして新しい言葉をつぎつぎに連発する。新しい言葉を使うだけなら金はかからない。しかし、人を惑わせる。それが目の前の事態を打開するような気分にさせる。

しかし言葉は消えてなくなる。まやかしに過ぎないことが多い。大事なのはモノである。モノから考える。それはSTEM教育の科学・技術・工学・数学に一貫する共通点である。華々しくSTEM教育の潮流を叫ぶ人は次第に増えている。だが具体的なモノ、それも長く取り組んできているモノを提示できる人は、果たしてどれだけいるだろうか。

米国からはじまったSTEM教育の潮流

STEM教育という言葉は、21世紀を前にする頃からアメリカの一部の大学の研究者などの間で使われはじめてきたが、明確に国の政策レベルとして登場するのは2006年である。

この年、最大の学術機関である全米アカデミーズがSTEM教育の衰退を憂慮する声明を出し、その対策として行われたのが、つぎのようなものである。

⑴米国の人材プールを拡大するため、幼稚園から高校３年（K-12）における理数教育を改革する

⑵教師を対象とする理科・数学・技術の技能向上のためのトレーニングを強化する

⑶STEM分野の学位を取得する意思と能力を持った生徒に対して進学支援を行う

そうして２年後の2008年、米国の大統領選挙で立候補したオバマ大統領候補はバイデン副大統領候補とともに選挙公約マニフェストを公表し、そこにSTEM教育が登場する。

選挙公約の基本政策の一つが「STEM教育への国をあげての取り組み」だった。ここに「科学、技術、工学、数学（STEM）の学習方法の向上」、および「コミュニティーカレッジにおける科学、技術、工学、数学教育の拡大」が掲げられた。

オバマ大統領の任期８年間の後、2021年１月に大統領に就任したバイデン大統領に主要な政策は引き継がれた。こうして米国ではじまったSTEM教育の思潮が世界に広まって、すでに十数年が経過し、まもなく20年にもなる。

英国などへの波及、その動向

教育にかぎらず多くの分野の新しい潮流は米国から始まり、諸外国が後追いする。STEM教育についても同じ傾向がある。それは日本やタイだけではない。

たとえば英国は2002年頃から米国と同様に、産業力の向上や経済成長を目指すことが指摘され、国の教育カリキュラムにSTEM教育の必要性を反映している。具体的には、主として中学校段階の９歳から14歳を対象

にSTEMラーニング・センターが設けられ、多彩な教材リソースの冊子を刊行している。学校現場は、それを教師用ガイドとともにダウンロードして利用できる仕組みとなっている。これにはSTEM教育を支援する産業界、経済界からの資金援助がある。ただし現時点ではSTEM教育の独立した学科目があるわけではない。もっぱらクラブ活動やサマー・スクールで活用されている。

ドイツは数学、情報科学、自然科学、技術の教育強化のため、STEMと同じ意味を持つMINT教育（Mathematik, Informatik, Naturwissenschaft und Technik：数学、工学、科学、技術）が推進されている。2019年にMINTの行動計画ができ、それに基づいてMINTオンライン・サービスが家庭での教材を提供している。これによって学校間のネットワークと支援体制が進んでいる。ただし、いまのところ英国と同じく、まだ統合的・合科的な独立した科目は新設されていない。

アセアン加盟国の一つ、シンガポールはアセアンのなかでも飛び抜けた国民総生産（GDP）を誇っている。そして世界の教育の動向にも韓国などとともに極めて敏感で、STEM教育には早くから対応してきている。同国のSTEM教育は、明確に先進科学技術分野の労働力の確保を目標にしている。2014年にはSTEMを旗印にした企業組織STEM Inc. が設立されている。この組織は産業界とのパートナシップによるSTEM教育者、カリキュラム専門家などを学校に派遣する仕組みを作っている。従来の理科の学習活動にSTEM ALP（STEMの応用学習プログラム）が含まれる工夫をしている*4。

＊4　野添　生（2022、Sep.）イギリスにおけるSTEM教育に関する動向調査、日本科学教育学会第46回年会大会論文集、177-178
遠藤優介（2022、Sep.）ドイツのMINT教育に関する動向調査、日本科学教育学会第46回年会大会論文集、179-180
大嶌竜午（2022、Sep.）シンガポールにおけるSTEMに関する学習評価と教員支援、日本科学教育学会第46回年会大会論文集、181-182

タイのSTEM教育の動き

私がタイのSTEM教育の動向を知ったのは、2012年12月の暮れから翌2013年１月、タイのアユタヤ地域総合大学ARUの科学技術学部に滞在した時にはじまる。オバマ大統領候補がSTEM教育を選挙公約に掲げた５年後のことである。

タイの大学は、お正月は元日だけが祝日で、大学は２日からはじまる。その年明け早々の正月２日、科学技術学部の若手教官30数人に１日セミナーを実施した。

そして、その16日間の滞在中、バンコクのIPST研究所に往復する機会もあった。この時、既にIPST研究所はタイ国政府と教育省の強い意向を受けてSTEM教育の国内のネットワーク作りと普及活動を開始していた。

翌2014年11月、バンコクでSTEM教育の国際会議である、ISMTEC2014（The International Science, Mathematics and Technology Education Conference）が開催されている。これには、日本でSTEM教育の主導的な役割を続けていた当時の静岡大学の熊野善介教授など、日本からも数名の参加者があった。ここで私は、IPSTの要請で参加者向けのワークショップを担当した。

写真12-1　タイ国科学技術教育研究大会第22回大会

国立スラナリー工科大学のワークショップに参加した海外からの研究者たちに向けて、T-Gem（旧モデル）の実験を行う。右端の筆者が手に持つ220Ｖの白熱電球が点灯している

その半年後、2015年３月には、タイ東北部（イサーン）の玄関口といわれるナコーンラーチャシーマー県の国立スラナリー工科大学でタイ国科学技術教育研究大会（ウォ・ター・ロ）第22回

大会が開催された。広大なキャンパスで行われたそれには、タイ全土と近隣諸国から１万人を超える参加者があった。この時もIPSTの要請で、私は海外からの参加者向けにワークショップを実施する機会があった（写真12-1)。

私が頻繁に滞在を続け、研究室と実験室を持っていたアユタヤARU大学には、2015年７月、バンコクのUNESCOの東南アジア文部大臣機構（SEAMEO）が、STEM教育センターを開設したのだった。

私の現地経験

日本では既に現役を退いていた私は、タイに滞在することが多く、現地で何度もワークショップを実施することに時間と労力を費やしていた。もともとボランティア活動として取り組むつもりだった。そのため、大学の宿舎とタイ国内の交通費、ワークショップの材料費や開催経費は、アユタヤ地域総合大学ARUが支援してくれたが、日本からの飛行機代や現地の生活費は当然ながら自己負担だった。

最初は現地でのワークショップの開催経費などの財源が、タイ国のSTEM教育の普及のためのものだとは、はっきりと意識していなかった。タイ教育省とIPST研究所から大学に届いているSTEM教育の普及財源を使っていると知ったのは、１、２年してからのことである。

ARU大学はワークショップの参加者たちが実験機材と配布資料を持ち帰る手提げバッグを配布する。それに、いつの間にか「STEM Pass way」とプリントされるようになっていた。それで何となくSTEM教育の普及の事業であることを意識するようになった。

それとともに米国の動向が、いち早くタイとアセアンに飛び火したような印象を持った。こうして日本国内にいるよりも、早い時期から自然にSTEM教育の一端を担うことになってきていた。これが「パワーアップ」プロジェクトに取り組むことになった背景である。

もとよりSTEM教育のための取り組みという意識は持っていなかった。

ただ結果的に、私が現地で何度も取り組んだワークショップが、IPST研究所が国内で進めようとしていたSTEM教育と一致していたのである。

つまり私は、時代がSTEM教育だからという意識を持たないで、小中学校と高校の基礎レベルの科学教育に電気を題材とする必要性を感じ、それに基づいた取り組みをしてきていた。ごく自然にSTEM教育に距離をおいて関わってきたのである。

いまでも、それは幸いだったと思う。このスタンスを保ってきたことには、つぎに述べるように、私自身が戦後の日本の２つの法律のもとで小中学校、高校に育ったことが影響している。そしてSTEM教育以前の半世紀前、米国で起こった大規模な科学教育の革新計画の状況を、30歳台の三度の渡米によって現地で学んできたことも影響している。

半世紀前、日本で制定された２つの法律

タイに頻繁に出かけるようになり、米国発のSTEM教育の思潮を受けた現地ワークショップを実施する機会が増えていた。しかし、なんだかいま一つ納得できない感じがしていた。

私は敗戦の８カ月後に京都市内の小学校に入学し、戦後の民主教育を受けてきた。食べ物にも衣類にも極めて不自由する小学生時代だった。それが紆余曲折を経て、30歳前に京都市青少年科学センターの建設に従事した。同センターが開館した後に指導室に勤務し、市内の小中学生、高校生、そして先生たち向けの研修事業を担当した。これは、いまでも良き経験となっている。

この時代に学んだことの一つは、戦後の早い時期に２つの法律が制定され、長く持続し発展しているということだった。現在ではあまり顧みられることはないが、1951年制定の産業教育振興法（産振法）、と２年後の1953年制定の理科教育振興法（理振法）である。

私は法律に興味は無かったが、小中高校の教育が、このようなことを背景としてきたことは、ありがたいことだと思っていた。産振法と理振法、

この2つの法律のおかげで、日本の全国の学校に各種の工具、工作加工機械、実験材料器具、実験装置が揃っている。これによって時代の変化とともに視聴覚機材のテレビやビデオ、情報化の進展とともにコンピュータと関連機材がすべての学校に設置されているのである。

いま改めて2つの法律を見ると、それぞれ総則はつぎのように記してある。

産振法は「産業技術を習得させるとともに工夫創造の能力を養い、もつて経済自立に貢献する有為な国民を育成するため、産業教育の振興を図ることを目的」としている。

理振法は「理科教育を通じて、科学的な知識、技能及び態度を習得させるとともに、工夫創造の能力を養い、もつて日常生活を合理的に営み、且つ、わが国の発展に貢献しうる有為な国民を育成するため、理科教育の振興を図ることを目的」としている（アンダーラインは筆者による）。

つまりオバマ大統領がSTEM教育で主張したことが、70年も前に日本で法律化されて、これまで長く一定の役割を果たしてきたのである。

米国の科学教育革新計画（1960～1980年）の事例

もう一つ、米国発のSTEM教育の潮流に多少の違和感を持ったのは、京都市青少年科学センター時代の1971年と72年に二度の渡米を経験した時だった。77年には三度目となる渡米をして、米国政府と全米科学財団が、極めて大規模な財源で小中高校の「科学教育革新計画」を展開して大いに盛り上がっている状況を見て歩いたことだった。

この革新計画には西海岸のカリフォルニア大学バークレー校、スタンフォード大学、東海岸ではプリンストン大学、ハーバード大学、マサチューセッツ工科大学MITなど有名大学が本腰を入れて、従来の学校の理科と算数・数学の教育を見直し、新しい行き方を開始していた。

当時のメリーランド州立大学の科学教育センターでは、ロッカード教授が国際文書センター（クリアリング・ハウス）を開設し、世界中の科学教育プロジェクトを収集していた。オハイオ州立大学では統合理科が、そしてミシガン大学アナーバ校でも多彩な活動を展開するなど極めて活発だった。米国から開始されたそれらの科学教育革新計画は、欧州各国や日本にも多大な影響を与えただけではなく、具体的な革新運動となって広がっていた。

ソ連が1957年に人類初の人工衛星スプートニク１号の打ち上げに成功しており、それで米国は「スプートニク・ショック」として極めて深刻な衝撃を受け、大変に危機意識が高まっていた。

米国では新世代の技術者を養成するため、1958年に国家防衛教育法などの教育計画が開始された。そのなかで、いまでも記憶しているのは「新数学（New Math）」のカリキュラムだった。これは算数教育を根本から改革し、集合論や十進法以外の位取りなど抽象的な数学的構造への教育を早い年齢から導入するものだった。しかし、これは一時的に数学能力向上を目指したものの、教育現場に少なからず混乱を起こした。現在、日本の小学校段階で採用されたプログラミングやロボットなどの学習題材が、似たような事態を招かないかと気になるところである。

当時は、日本でも人類初の人工衛星スプートニクは大きな話題を呼んだ。当時の文部省は、米国と同様に1971年（昭和46年）の学習指導要領改訂で理数教育の現代化カリキュラムを打ち出すことになった。

そのため、先に述べた通り30歳になったばかりの私は、著名なプロジェクトに取り組んでいる米国の大学を現地に訪ね歩いたのだった。そこでは大学教授が本腰を入れて、小中学校で使う実験機材をみずから手作りし、それを使った教師向けのワークショップを活発に開催していた。

その実情を見て歩いた経験があるだけに、50年後に米国発のSTEM教育の潮流が高まって海外にも広まっていたことを知っても、あの頃のムーブメントの再来か、という印象がぬぐえなかったのである。

つまり日本の産振法と理振法、そして約50年前の米国の科学教育革新計画の盛り上がりは、現在進行しているSTEM教育とは時代背景は異なるもののの、ほぼ同じ基盤に立っていると思えるのだ。

およそ50年前の米国のプロジェクトでは、従来の初等理科、物理、化学、生物、地学、数学の教育に素朴ながら革新的な実験・観察の機材を研究・開発し、それらは世界中に普及した。たとえば、いまでも日本で使っている力学台車やストロボ装置は、厄介だった基礎力学の実験を誰にでも楽しめるものにしている。果たして本書の「パワーアップ」プロジェクトで使っている機材はどうだろう。タイとアセアン地域から多くの国に普及することは夢のまた夢かもしれないが、意外な展開を期待したいものである。

米国のSTEM教育への批判

STEM教育は米国から始まった教育思潮だが、米国国内でも必ずしも賛同者や支援者ばかりではない。STEM分野への参加拡充を目標とする風潮には批判も見られる。

たとえば、その一つは2014年、テイテルバウム（Teitelbaum, Michael）が『ジ・アトランテック（The Atlantic)』誌に「理工系労働力不足の神話（“The Myth of the Science and Engineering Shortage”)」を寄稿している。

ここで彼はオバマ政権のSTEM人材拡充に対する傾倒が、第二次世界大戦以来何度も繰り返されてきた科学者・エンジニア人口増加策の一つに過ぎないと喝破している。そして過去の試みは、いずれも最終的に「大量解雇・雇用凍結・財源縮小」に終わったとし、その一例として1950～60年代の宇宙開発競争に触発された試みがあったものの「1970年代には深刻な不況を招いた」と指摘している。

このように米国国内でも強烈な批判があることは、自由で開かれた社会であることを示していて、かえってすがすがしい。これはSTEM教育批判の一つに過ぎないが、バランス感覚を維持するためにも注目しておきたいことである。

日本型「STEMの原点」は、比類ない成果を上げてきた

産振法と理振法は、日本が戦後の早い時期からSTEM教育に共通する思潮を持ち、世界から注目される学校教育を続けてきたことに役立っている。その証拠の一つは、たとえば2000年以降のノーベル賞の自然科学分野の日本人受賞者数である。

2001年以降の自然科学分野の日本人ノーベル賞受賞者は、米国籍の南部陽一郎氏、中村修二氏を含め、2019年の吉野彰氏の受賞までの間に18人を数える。60人を超す米国は別格としても、英独仏伊などを上回る世界第2位の実績である。いずれも基礎科学から応用工学まで幅広い分野で受賞していて、これは日本の底力と科学技術教育の底辺の広さを示している。

その後も2021年には、物理学賞を受賞した米国国籍の真鍋淑郎(しゅくろう)氏（愛媛県四国中央市出身）がいる。二酸化炭素濃度が地球温暖化に影響することをいち早く問題提起し、地球気候をコンピュータでシミュレーションし、気候変動の予測研究で先駆的に開拓したことが高く評価され、「現代の気象研究の基礎となった」ことが受賞理由だった。

気象学の分野でノーベル物理学賞を受賞することは極めて異例で、世界を驚かせた。真鍋博士の研究で、人間の活動が活発になるにつれて大量に放出される「温室効果ガス」が、地球全体の平均気温を急激に上昇させていることが世界の常識となった。

これらの事実は、私たち日本人の大きな誇りである。わが国の自然科学分野のノーベル賞受賞者の科学者・技術者たちは、先に指摘した2つの法律が下支えしている小中学校、高校で学んできたのである。もちろん大多数の学校の先生たちの熱心な取り組みが貢献してきたことは言うまでもない。

日本が早くからSTEM教育に共通する取り組みをしてきた証拠は、ノーベル賞の自然科学分野の受賞者数だけではない。たとえばトヨタをはじめ

とした代表的な自動車産業、パナソニックやソニーなどの家電とエレクトロニクス産業など、世界有数と言える多数の企業や産業がある。戦後の焼け跡から奇跡と言われる復興と経済成長をなし遂げてきたのである。これらの発展の基盤は学校教育、とりわけ科学技術教育だったと言える。

問題はSTEM教育の潮流が生まれる契機となったハイテク人材の不足に加え、バイオ分野、ロボット技術、人工知能（AI）など、急速に発展する先進技術への対応に見合った教育の必要性の高まりに、実情が追いついていないことである。

これに対応するためのSTEM教育は、21世紀も四半世紀が経過しようとする現代の課題と言える。日本は２つの法的な背景と、多くの先生たちと教育関係者の努力があって、ここまで到達している。米国から起こったSTEM教育の潮流をチャンスとして、未来のイノベータを育てることに取り組まねばならない。

これからのSTEM教育の展開

このように日本には、米国でSTEM教育が主張されるよりもずっと以前にSTEM教育の原点が生まれている。そして、この２つの法律こそ日本の学校教育の科学技術教育の重要な基盤になってきたと思われる。この２つの法律は、車の両輪のようにして今日まで持続し発展してきている。

これによって全国の学校は、実験設備や機材の充足度が毎年点検され改善されてきている。それらの機材の購入には、当然ながら私たちの税金が使われている。この２つの法律と教材基準などの制度とともに、大多数の教育熱心な先生たちの取り組みが継続されてきていることに注目したい。学校格差は多少あったとしても、それに格段の違いがある諸外国に比べれば、まだ小さいと言える。そして多くの国と比較すると、学力の標準レベルも高い。これには先生たちの資質のレベルが高いことはもちろん、国の経済財政事情などが反映していることは言うまでもない。

その点、私が現地に滞在してきたタイをはじめとする多くの国は、ごく一部に私たちの想像を超えるような超一流レベルの学校がある。その一方で、政府機関や海外援助機関が懸命な取り組みを続けていても、いまだに雨漏りのする校舎に電気や水道、トイレさえ無い学校まで、極端な開きがある。そのためSTEM教育を実施するには、どのレベルの学校を対象にするのかが問われる。従来の新しい教育思潮にのっとって、新しいプロジェクトに協力するのは標準以上のレベルの、どちらかといえば恵まれた学校が対象とされることが多かった。しかし、それでは格差は残り続け、さらに広がる。

タイの先生たち向けの「パワーアップ」プロジェクトは、2023年以降に第2フェーズに進み、当面はラオスとカンボジアの先生たちを対象に広めていく見通しである。もし、その機会があれば、ここでも実験機材が不足し、実験の経験の少ない先生たちを対象にしたいと考えている。

米国の60年代の科学教育革新計画と日本の2つの法律、これらはその時代に起こっている時代の波が教育革新の要請を求めることを物語っている。たんに文部科学省の主導や学習指導要領などが教育革新の指針になるわけではない。それらを超えて、社会変化に向けて積極的に新しい状況を生み出していく必然性がある。

はっきりしているのは、目の前にいる子どもたちを未来のイノベータに育てる教育は、時代がどうであれ、これからますます必要になっていく。米国の動向や新しい教育思潮だけに左右されることはない。

本章に紹介した「パワーアップ」プロジェクトは、タイをはじめとするアセアン諸国を対象にはじめたものである。たった一人の日本人が取り組む構想と実践だったが、その彼方に日本の学校と先生たち、そして子どもたちに巡りめぐってくることも視野に入れている。そのためにも国際レベルで通用する題材を目指して、さらに望ましいものにしていきたい。

日本の子どもたちは未来の世界で、激烈な競争社会で働き、暮らしていく。その波を余裕の笑顔で乗り切り、豊かな楽しい人生を送ってほしい。

孫たちがAIアシスタントの「アレクサ」に命じる姿を、私は祈るような思いで見つめている。子どもたちだけでなく、保護者たち、そして大多数の先生たちも、その思いを抱えて懸命に日々の仕事に取り組み、暮らしているに違いない。

この子どもたちの10年後、20年後のことを考えると、日本も世界も大きな変化をしていくはずで、日本人としてのアイデンティティとともに、その変化に対応しうる基礎的な知識・概念・技能をしっかり学んでほしいと願うものである。

参考資料

◇◇

私たちは情報が日々目まぐるしく行き交う、変化の激しい世の中で暮らしている。そんな時勢でも、少しは落ち着いて物事を考えたい。

STEM教育で扱う題材についても同じである。STEM教育に取り組むには、日々の活力を維持する栄養剤のような頼りがいのある情報と資料を点検し、良質のものを持っていたい。既に本書の中でも紹介したが、私がかなり長い間、みずからの指針としてきた図書と資料、そして参考事項がある。それらを改めて紹介しておきたい。

ワークショップで扱う題材にはかぎりがある。しかしSTEM教育は広がりが大きい。その違いを埋めるために、扱う題材に関連した映画や図書といった資料を参加者たちに紹介するのは効果的だと思う。もちろん、むやみに大量の情報を紹介するより、厳選することが望ましい。一つの良質のものに出合ったら、その後は一人ひとりの好みと判断にまかせることができる。

扱った題材に関連する資料を紹介することは、参加する先生たちの興味と関心を広げるために欠かせない。なかでも映画は膨大な時間と労力、そして多額の財源を費やして制作される。ワークショップではとうていカバーできない豊富な情報源として、参加した先生たちのSTEM教育の展開にも役立つ。

参考1.映画『サバイバルファミリー』(2017年公開、日本)

日本映画『サバイバルファミリー』は、2003年8月の北アメリカでの大停電にヒントを得たという、矢口史靖(しのぶ)の原案・脚本・監督による映画作品で、主演は小日向文世である。

29時間続いたこの北アメリカの大停電は、米国で4000万人、カナダで

1000万人が被害を受け、金融赤字はこの日だけで約40億から70億ドル、特に航空会社や証券取引所で大きな赤字を出した。ほとんどの交通機関が麻痺し、ニューヨーク、クリーブランド、デトロイト、トロント、オタワなどで自動車道路が歩道と化し、そこを歩く大勢の人で渋滞が発生、公園や路上は一夜を明かす仕事帰りの人や学生などで溢れかえった。真夏であったため、翌日の日中は気温が30℃以上になったが、エアコンや扇風機も使用できないという、非現実のような事態に陥った。

今日、もし電気が無かったらどんな事態になるだろうか——。深刻な災害があった時の停電を思い出してみるとよい。家庭では電灯照明はおろか、冷蔵庫も電磁調理器も使えない。インターネットやパソコンも使えない。トイレのウォッシュレットも動かない。それどころか水道さえ断水する。

通勤に電車は使えない。車を運転しようとしても信号機が停止していて、まともには走れない。もちろん企業の生産活動や流通業も停滞する。鉄道や空路の交通機関は、ことごとく麻痺する。

映画『サバイバルファミリー』は、ある日、突然に東京で大停電が発生する場面からはじまる。主人公たちは東京のマンションで暮らす４人家族。彼らがどのような事態に陥るかが、とてもリアルかつドラマチックに描かれる。

やがて一家は東京暮らしをあきらめて、鹿児島の親戚宅に向おうとするが、新幹線や列車は走っていない。飛行機は飛ばず、ガソリンスタンドは給油ができず、車も使えない。食料も飲料水も次第に無くなり、コンビニにも商品は何もない。やむなく自転車で鹿児島に向う途中には、さまざまな困難が待ち受ける。これをコメディ調とする論評もあるが、とても笑っては観ていられない映画である。

封切り初日に全国で12万人が鑑賞したと言われる。もちろんDVDも販売されているので、いつでも見ることができる。ネットにアップされている感想の一つに「予告編を観て想像していたより何倍も素晴らしい。これは万人が観たほうがよい。来るかもしれない未来の映画です！」というものがあった。

タイでもこの映画のDVDは販売されている。私はアユタヤ地域総合大学ARUでのワークショップで、参加した先生たちに映画の一部を観せたことがあった。現地の先生たちは、現在の大都会東京の様子、そこで暮らす４人家族の生活のほうに強い印象を持ったようだった。

もし電気が消滅したら……というドラマチックな状況は、映画でなければ描けない。DVDのカバーにある「これを観ずして21世紀は語れない」のキャッチ・フレーズはインパクトがある。それだけにエンターテインメントだけではなく、電気のありがたさを知るには大いに役立つ。

参考２．映画『エジソンズ・ゲーム』（2017年公開、アメリカ、“THE CURRENT WAR”：電流戦争）

この映画は、電気の直流と交流を話題にした８章で紹介したものである。STEM教育が米国で主張され、各地で取り組みがはじまる時期の2017年に公開されたのは意外なめぐりあわせに思える。日本での公開は2020年だった。

監督はアルフォンソ・ゴメス＝レホン、出演はエジソン役のベネディクト・カンバーバッチなど。エジソンが白熱電球を発明した1879年に続く時代に、米国で電力の供給方法をめぐって直流送電派のエジソンと、交流送電を主張するウェスティングハウスの２人が繰り広げた電流戦争の状況を描いている。

この２人のほかに、ニコラ・テスラが主要人物として登場している。テスラは「テスラコイル」の発明で知られる。現在のクロアチア生まれの彼は、1884年にアメリカに渡りエジソンのもとで働くが、１年後に独立する。交流電動機を開発し、1891年にはテスラコイルを発明した。これは100万Vまで出力可能な高電圧変圧器で、現在まで広く知られている。

テスラが手がけたものには交流電気方式、無線操縦、蛍光灯などといった現在も使われている技術も多い。電気や電磁波の技術史を語る上で重要な人物であり、磁束密度の単位「T（テスラ）」にその名を残している。1997年の『LIFE』誌に掲載された「この1000年で最も重要な功績を残した世界の人物100人」にも選ばれている。

電流戦争でテスラとエジソンはライバル関係となり、結局はテスラ側が勝利した。それでも晩年は金銭苦に陥り、亡くなった時点ではほぼ無一文であったと言われる。

テスラが遺した技術開発にまつわる資料類は、ユネスコの記憶遺産に登録されている。また、近年注目されている米国の電気自動車メーカーの「Tesla（テスラ）」の社名も、ニコラ・テスラへの賞賛をこめて名づけたものと言われる。

このような科学と技術の歴史の経緯をたどっていくと、興味が湧いてくる。STEM教育に「ArtsのA」を加えSTEAMとするべきとされるが、そんな論争を越えて、実際に扱う題材のなかに技術の歴史をたどるべき興味の尽きない経緯がある。

参考３. D. ボダニス著『電気革命』（新潮文庫、2016年刊、*“Electric Universe”*）

原著の*“Electric Universe”*（Little Brown Book Group, London, 2005）は、副題が「電気はいかにして現代社会のスイッチを入れたか」である。この本は日本で『エレクトリックな科学革命』（早川書房初版、2007年）として発刊され、後に『電気革命』と改題のうえ、文庫として発刊された。いずれも吉田三知世訳である。電気と科学の現代史を学ぶ原点であり、STEM教育を考えるための基本図書である。

タイの先生たちには、ロンドンで刊行されている原著を勧めている。これなら英語なので、タイの多くの先生たちが読むことができる。

未来のイノベータを育てるには、子どもたちよりも、まず私たち大人がたっぷりと栄養と体力を蓄え、軽やかに変化の波を乗りこなしていきた

写真1

D.ボダニス著、吉田三知世訳『電気革命』新潮文庫、2016年刊（左）、同『エレクトリックな科学革命』早川書房、2007年刊（中央）、原著 *“Electric Universe”* Little Brown Book Group, London, 2006（右）

い。目まぐるしく変化する事態に追従しているだけでは、自分の取り組みを充実させていくことはできない。そのためには、これぞといった図書を手元に置いて、日々の指針としたいものである。

『電気革命』の書名となって、新潮文庫版が2016年の６月に多くの書店で入り口近くの目立つスペースに平積みで置かれたのは、とても珍しいことだった。科学史の本が、一般書籍と肩を並べたのである。

2007年刊行の早川書房版はハードカバーで、帯には「便利で、危険で、摩訶不思議　それなしでは現代生活が一刻たりとも立ち行かない、電気・電子をめぐる発見と発展のめくるめく科学史」とある。

表題を改めた『電気革命』に記されている電気の原点は、いまも変わらない。古きを温ね新しきを知る「温故知新」の考えは、時代が変わっても、いや時代は変わるからこそ心がけたい。原点は揺るがない。だから原点から考える。それが電気を題材にしたSTEM教育の出発点である。

D．ボダニスの著書では英国人ファラデーのことは扱っているが、それ以外はもっぱら1830年代から米国で活躍した科学者たちが話題になっている。電磁石の実験に取り組んだ米国のジョセフ・ヘンリーからはじまり、電話を発明したベルと、そのベルの電話を改良し、白熱電球を発明したエジソンの記述に続く。

1770年代のボルタとアンペールは、同書の末尾に「電気の単位に名を冠する科学者たち」として扱われている。また、コンピュータを発明したチューリングのことまで扱っている。

残念ながら検流計に名を残すガルヴァーニや、エルステッドのことには触れられていない。しかし、いま改めて今日の暮らしと産業技術に欠かせない電気の原点をたどっていくと、何人かの科学者たちに行き着く。彼らを生年の順に列挙すると、ガルヴァーニ（イタリア、1737〜1798年、医師、物理学者）、ボルタ（イタリア、1745〜1827年、物理学者）、アンペール（フランス、1775〜1836年、物理・数学者）、エルステッド（デンマーク、1777〜1851年、物理・化学者）、ファラデー（イギリス、1791〜1867年、物理・化学者）などである。

これらの科学者の功績は、このの ち10年後、20年後にも変わらない。それだけに彼らの努力は科学技術の基盤になる発見であり、壮大な実験だった。そして、彼らのほかにも膨大な数の人々の取り組みがあったことは言うまでもない。

参考４.「千年紀を作った100人」（『LIFE』1997年秋号、米国・LIFE社）

20世紀が終わろうとする1990年代の後半、当時は盛んに新千年紀（ミレニアム）という言葉が使われ、日本のみならず世界中に広がった。

この時、米国を代表する大手出版社ライフ社が千年紀（西暦1000〜2000年）を作った100人をリスト・アップするという企画を実施した。世界の思想、政治、文化、芸術、科学、技術、冒険家などあらゆる分野で活躍した人を選ぶ壮大な試みだった。

選ばれた100人のうちトップ20人は、166ページの表１に示す通りである。

エジソンが１位に選ばれていることもさることながら、10位以内にはガリレオ、ニュートン、パスツールなど科学者が多く選ばれている。

そして20位以下にも注目したい。そこにはアインシュタイン21位、マルコーニ27位、ベル31位、メンデル46位、ボーア53位、テスラ57位、ファラデー70位、マリー・キュリー75位、ラボァジェ80位、ノイマン94位と、科学分野のそうそうたる人々が名を連ねているのだ。

そのほかの分野でだれでも知っている人物を探すと、ベートーベン33位、ピカソ78位、私の好きな探検家ジャック・クストー96位などが選ばれている。

表1　米国・ライフ社「千年紀を作った100人」(1997年秋号)、上位20人

1. エジソン★	11. シェイクスピア
2. コロンブス	12. ナポレオン
3. マルティン・ルター	13. ヒトラー
4. ガリレオ★	14. ジェン・ヘ[*5]
5. ダ・ヴィンチ★	15. ヘンリー・フォード★
6. ニュートン★	16. フロイト★
7. マゼラン	17. アークライト★
8. パスツール★	18. マルクス
9. ダーウィン★	19. コペルニクス★
10. ジェファーソン	20. ライト兄弟★

★は科学者、技術者、発明家、起業家などSTEM教育に関連する人物と想定してマークをつけた。20人のうち半数以上が、これに該当する。

この100人のなかに１人の日本人が入っている。86位の葛飾北斎である。北斎は、当時の英国はじめ欧州の多くの画家や芸術家に多大な影響をあたえてきた。日本でも、ようやく21世紀に入ってから、その功績が見直されてきている。

＊5　14. Zheng He（1371～1434年頃）は日本ではあまり知られていないが、中国明代の宦官、武将、航海者である。中国名は鄭和（ていわ）。軍功を挙げ永楽帝に重用され、南海への計７度の大航海の指揮を委ねられた。その船団は東南アジア、インド、セイロン島からアラビア半島、アフリカにまで航海し、最遠でアフリカ東海岸のマリンディ（現在のケニア）まで到達した。

参考5.日本とエジソン

千年紀を作った100人のトップになったエジソンについても触れておきたい。

日本人がSTEM教育の題材を扱う時、日本と米国が関連していることもあって、エジソンは外せない話題になる。特に、近代の科学・技術の歴史を見直すことに役立つ。なにしろエジソンが発明した白熱電球がLED電球に取って代わったのである。

LED電球に関連して、2014年にノーベル賞の物理学賞を受賞した日本人たちがいる。青色発光ダイオードの発明と高輝度で省電力の白色光源の実現に貢献した赤崎勇、天野浩、中村修二（米国籍）の３人である。電球と電気照明の進歩に米国と日本の因縁を感じる。

私たち日本人にとっては、白熱電球のフィラメントに日本の竹が使われたことは忘れがたい。京都市郊外の八幡市にある石清水八幡宮には、長大な黒御影石を使ったエジソン記念碑がある。縦に約15m、横15mほどの敷地に、エジソンの功績をたたえる幅6.3m、高さ1.7mの記念碑が建つ。

記念碑には「天才とは１％のひらめき（インスピレーション）と99％の努力（汗）である（Genius is one per cent inspiration and ninety-nine per cent perspiration.)」という有名なエジソンの言葉が刻まれている。

このエジソン記念碑の説明板には、つぎの言葉が記されている。

「西暦1879年にトーマス・アルバ・エジソンが灯火の革命ともいえる炭素白熱電球を発明しこの石清水八幡宮境内に生えている竹が電球の命ともいえるフィラメントの材料として最も適していることを知り電球発明の翌年から十数年もの永い間この竹を使ってたくさんの炭素電球を造り世界の人々に電灯のありがたさを知らされました。つまり、この八幡の竹が炭素発熱電球の実用化に大きな役割をつとめたのです。

そこで1929年に電灯発明五十年を記念して世界各国で電灯黄金祭が催された時、日本もこれに加わり記念事業の一つとして電球の発明と切って

写真２　石清水八幡宮のエジソン記念碑

も切れない関係にあるこの土地に記念碑を建てエジソンの功績を永久に伝え讃えることになったのです」（原文のまま、以下略）

記念碑の背後には、エジソンによって日本に派遣された人が持ち帰ったという八幡の真竹の自然林が広がる。この真竹こそ、エジソンがフィラメントの素材として約140年前に使用し、白熱電球の1000時間を超える長時間点灯を可能にしたのである。

エジソンの名は残る

京都の八幡市とエジソンの生誕地オハイオ州マイラン村とは、白熱電球のフィラメントの縁で姉妹都市となっている。

私は新婚時代をこの八幡市で過ごした。その後は東京で12年、鳴門で10年を経て京都に戻るという経過をたどった。家内は２人の息子の子育てをしながら70歳を超えるまで八幡市に居住してきた。

石清水八幡宮の境内裏の真竹こそ、エジソンがフィラメントとして使ったものだと述べた。先のD. ボダニス著『電気革命』にも、この真竹についての記述がある。ただし、この日本語訳では真竹ではなく孟宗竹（もうそうちく）となっている（同書76〜77ページ）。これは翻訳者の思い込みか、あるいは少しのミスかと思われる。気になるので、同書の原著を注文して取り寄せ、点検してみた。

写真３　京都と大阪を走る京阪電車「石清水八幡宮」駅前の竹のモニュメント

原著には、エジソンは使用人を

キューバ、ブラジル、中国に派遣した。また日本の南西部で真竹（Madake bamboo）を入手した（原著45～46ページ）とだけ記している。

それまで使っていたプラチナ、ニッケル、焼成した木綿よりもエジソンの望みにかなったとある。残念ながら英文の原著には石清水八幡宮の名は見当たらない。日本語訳版で、京都府の石清水八幡宮の名が出ているのは翻訳者の配慮かもしれない。

八幡市で日本のエジソン研究家として知られた立本三郎氏が健在だった2000年の秋、私は同氏とともにエジソン生誕地のマイラン村を訪れたことがある。その旅でニュージャージーの州立ラトガース大学のエジソン研究部門を訪問して聞いたところ、エジソンは白熱電球の発明時から八幡の竹を使い続け、10年間で約3000万個（日本の全世帯数に相当する）の白熱電球を製造したということだった。

やがて竹のフィラメントはタングステンに替わったが、エジソンはそれまでの夜の照明に画期的な明るさをもたらした。それ以外にも多数の発明をして、それらの功績によって千年紀を作った100人のトップに選ばれたのである。

写真４　エジソンによる1893年型の白熱電球（レプリカ）と点灯した様子

筆者が2000年にエジソン生誕地、米国オハイオ州マイラン村から持ち帰ったもの

参考6.ハンダ付け作業

基礎レベルの電気実験を楽しくするには、ハンダ付け作業が欠かせない。しかし現実には何事も簡便さが優先する時代となって、はじめての人には厄介なハンダ付け作業は縁遠いものになっている。ここにも電気の実験を苦手にする原因がある。

だが、いまやSTEM教育が必要と言われ、ここでモノづくりが強調される。モノづくりを目指すなら、面倒とされるハンダ付け作業は見直したい基本作業の一つである。日曜大工の店には、いまでもハンダ、ハンダごて、作業用のスタンドなどが販売されている。もちろんネットでも購入できる。

慣れれば鼻唄まじりでできる作業も、はじめての時は戸惑うものである。熱したハンダごてを不用意に扱って、やけどをしないともかぎらない。いつも安全には配慮したい。

ハンダ付けにもコツがある。熱したこてでハンダを溶かして、先端に乗せてハンダ付けしようとはしないこと。おおよそつぎのステップをたどる。

ステップ1

くっつけたい部分の金属部分、たとえば乾電池模型ならプラス（+）とマイナス（−）の銅板に熱したハンダごての先端を置く。そのまま数呼吸する。こての先端が接している金属部分が十分に温まってくる。

ステップ2

そのタイミングで、ハンダの先端を持っていく。すると金属のハンダは、まるで液体のように溶ける。そうして、ハンダの液溜まりの部分に固定したいリード線の先端を浸す。

ステップ3

その状態を保ったまま、このタイミングでこての先端はハンダが溶けている部分から離して遠ざける。続いてハンダの溶けている溜まりの部分に、数回息を吹きかけると、溶けたハンダが液体から固体に変わる。すると、溶けたハンダ溜まりの部分に差し込んでいたリード線の先端は、確実に固定される。これでハンダ付け作業が終わる。

いまは数少なくなった「ハンダ付け名人」がいる。その人たちは、このステップを何度も繰り返して、そして何度かの失敗も経験してきたものである。ステップ1、2、3は「ハンダ付け名人」が蓄積してきたノウハウである。

参考7.豆電球模型の制作(71ページ、豆電球模型のカットアウト参照)

5章に乾電池と豆電球の大型模型の制作と実験を紹介している。ここでは、そのうち「豆電球の大型模型」の作り方を記しておきたい。

使う材料はダンボール・シート、豆電球ソケット、リード線、ターミナルに使う幅1㎝、長さ4㎝くらいの銅板である。

作業に必要な道具は、円形を描くためのコンパス、豆電球ソケットをダンボール・シートにあけた穴に差し込んで固定するグルー・ガン、または接着剤。ターミナルとして使う銅板を固定するための小穴をあける千枚通し、またはキリ。その後、リベット、ワッシャが必要になる。後は、ハンダとハンダごて。ダンボール箱からカットアウト・シートを切り出すカッター・ナイフ。模型が完成した後、表面に描画する油性ペン、または筆と絵の具などである。これらは乾電池模型の制作作業と共通である。

制作のプロセスは、おおよそつぎのようなステップをたどる。

ステップ1

身近なダンボールの空き箱を探す。そこから縦約30㎝、横約60㎝のフラットなダンボール・シートを用意する。

ステップ2

2Bから4Bの鉛筆などで、71ページの写真5-6の右側に示しているような図を丁寧に描き、その線に沿ってカッター・ナイフでダンボール紙を切り出す。写真の点線は谷折りする部分である。円形の中心に小さくカッター・ナイフで切り込みを入れる。

ステップ3

豆電球模型の金属部の突起部分プラス（+）と口金部分のマイナス（−）部分に相当する位置に、銅板を固定する小穴をあける。これには千枚通し、またはキリを使う。

ステップ4

円形に描いた中心に作った切り込みに、表側となる方向から豆電球ソケットを差し込み、グルー・ガンを使って、裏側の部分でソケットの周辺を固定する。グルー・ガンがなければ接着剤を使う。ソケットが固定できたら、リード線を伸ばしてみる。

口金の突起部と側面部分のターミナルにハンダ付けするのに長さが不足する時はリード線を継ぎ足す。

ステップ5

ダンボール・シートのカットアウトの、ステップ3で穴をあけた位置に、それぞれターミナルとなる銅板を取り付ける。

豆電球ソケットの突起部のリード線を模型に取り付けた突起部の銅板に接続する。ソケットの口金の側面部のリード線は、模型の口金側面部にハンダ付けで接続する。

豆電球模型にLED豆電球をセットする時、突起部をプラス（+)、側面部をマイナス（−）としていることが大切になる。外部から手まわし発電機や乾電池を接続して豆電球模型のLEDを点灯しようとする時に、プラス（+）とマイナス（−）の接続が正しいものでなくてはならない。

ステップ6

組み立てた豆電球模型の表面に、筆と絵の具を使って、豆電球の発光部をフィラメントに見立てて描画する。模型の口金突起部から発光部を通って、模型の側面部まで電気の流れがたどれるように、球形部分の枠取りと口金部分のねじ込みを描く。

模型作りの仕上げの段階でこの描画作業をすることによって、自分で制作した実験材料としての愛着が出てくる。適当なスペースに制作日や名前を記しておくと記念にもなり、いっそう大切に扱うようになる。

以上、ここに記したサイズや材料は、あくまでも参考事例である。これに固執しないで、自由に楽しく制作することを勧めたい。

参考８.磁石の磁界の観察記録——その実験・観察と作品制作

磁石の磁界は目には見えない。それを観察する最も簡単な方法が、磁石の上に鉄粉をまいて、鉄粉でできるパターンを見るもので、古くから知られている。「パワーアップ」プロジェクトでは、たんに観察して終わりにするのではなく、一つの作品として残すユニークな方法を紹介している。

ここでは、強力な丸型磁石の磁界の様子を観察する。ただし磁石の上に紙を置いて鉄粉をまくと、磁力が強すぎて鮮明なパターンができない。そのため磁力を多少は緩和する必要から、磁石を箱の中に入れて実験している。

学校の実験でよく使う平たい棒磁石ならば、木の板の中央に磁石が固定できるように割り箸で凹（へこ）みを用意する。その上に紙と透明フィルムを置けば、同じように磁界の様子を観察し記録保存できる。

「パワーアップ」プロジェクトでは、磁石の上に配置した透明フィルムの上に鉄粉が作るパターンを、そっくりそのまま木工ボンドを塗布した厚紙に「はぎ取る」というダイナミックなやり方で実験の結果を作品として写し取る。これは、屋外の巨大なサイズの地層のはぎ取りにも使われる手法である。

(1)鉄粉をまく土台を準備する

実験・観察に先立ち、事前に100メッシュの鉄粉を教材店などから入手し、それを空きビンに入れる。ビンの開口部は二重か三重にしたガーゼで覆い、ゴムバンドなどで固定しておく。空きビンの代わりに茶こし（ストレーナ）に入れておいてもよい。

ガーゼや茶こしを使うのは、鉄粉を上からまく際に一カ所に固まることを避け、できるだけ広い範囲に平均的にまき散らすためである。ほかに底の浅い木箱、あるいは丈夫な紙箱（縦20㎝、横30㎝、深さ４～５㎝程度）、数枚の古新聞、白色の木工ボンド、割り箸、透明なガラス板（またはプラスチック板）、透明フィルム、A4判サイズの厚紙を用意する。

このうち厚紙は、その上で鉄粉の散布したパターンを記録保存し、作品として残す。さまざまな紙のうち、カラーの厚紙が使いやすく効果的で、特に使い古したフラット・ファイルの表紙がお勧めである。

そのほかにも、厚紙に木工ボンドを広げるスキージ（ヘラ）として使う小片の厚紙などを用意して、つぎのような手順で実験する。

写真5-a

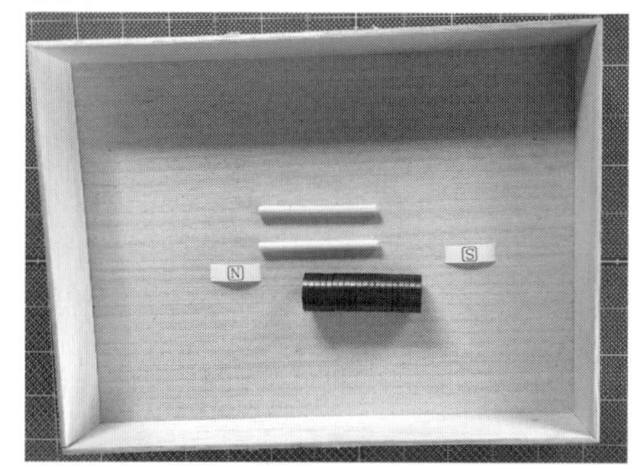

磁石を２本の割り箸で用意した固定枠にセットする

①大きさがA4判サイズ程度、つまり縦20㎝、横30㎝、深さ４～５㎝の木箱、あるいは丈夫な紙箱を用意する（写真5-a）。

②箱の中央に、丸型磁石５～15個を吸着させ、棒磁石の形状にした磁石を置く。磁石が転がらないように、割り箸をボンドやセロハンテープで固定するなどの工夫をする。

③古新聞などの上に②の箱を置く。箱の上に、中の磁石の位置が見えるように透明のガラス板、またはプラスチック板をかぶせる（写真5-b）。

写真5-b

写真5-c

写真5-d

④③の上に白い紙を置き、その上に透明フィルムを置く（写真5-c、写真5-d）。

透明フィルムは、オフィス用品の透明ファイルの綴じ部分をカットすると、２枚用意できる。

（２）鉄粉を散布する

ここでは茶こしに入れた鉄粉を使う方法を紹介する。

①茶こしに適量の鉄粉を入れる（写真5-e）。

②茶こしを透明フィルムの10〜15㎝の上で持って、片方の手の指先で茶こしを軽くタップしながら、鉄粉をゆっくりと慎重に全体へ行き渡るように丁寧にまいていく（写真5-f）。次第に磁石が作る磁界の模様（パターン）が現れてくる。

この時点で鉄粉が磁石の磁極の近くに吸い寄せられ、動いていく様子が観察できる。

③いったん茶こしを横に置いて、写真5- gのように箱の四隅をごく軽く指先でタップすると、鮮やかなパターンになる。この場面で、多くの子どもたちが興味深く観察するにちがいない。

写真5-e

写真5-f

写真5-g

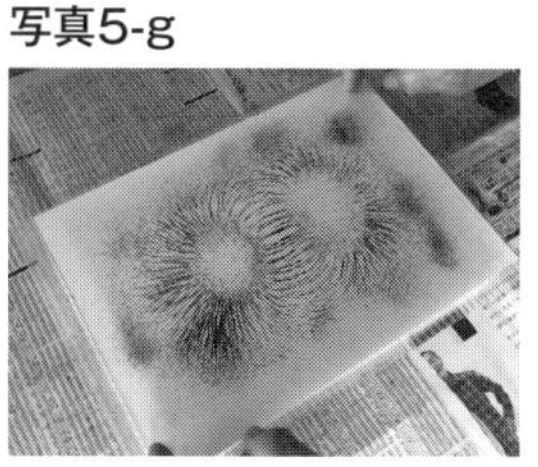

（３）厚紙に木工ボンドを広げ、薄くのばす

鉄粉が作った磁石の磁界のパターンは、風が吹けば散ってしまう。そのパターンは、その場かぎりの一時的なものである。これを固定して、たった一つの実験結果として保存したい。

写真5-h

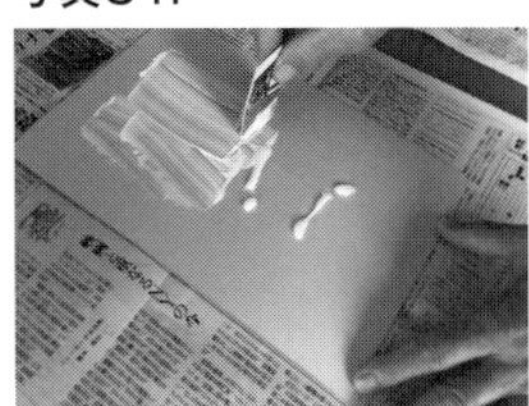

写真5-i

写真5-j

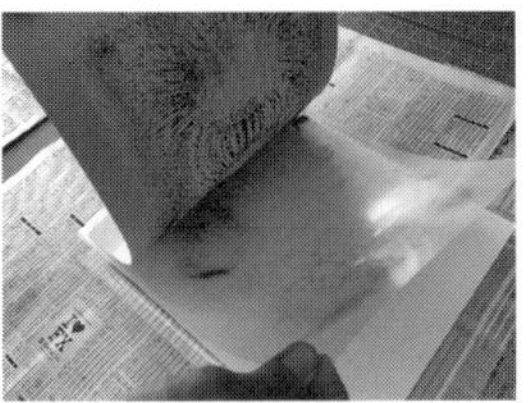

①別のスペースに古新聞を広げて、その上に用意した厚紙を平らに置く。白色木工ボンドを厚紙の上に絞り出す。最初は歯磨きペーストを５〜６㎝の長さに出す程度でよい（写真5-h)。

②小片の厚紙を二つ折りにし、木工ボンドを均一に広げるスキージとして使う。なるべく広く、均一になるように広げる。木工ボンドが多すぎると、鉄粉をはぎ取る時に滑りやすくなってしまう。できあがった磁界のパターンの形を崩してしまうので適量を工夫する。

③木工ボンドを広げた厚紙を両手で持つ。厚紙のボンドを広げた面を下にして紙の端から、ゆっくりと慎重に磁界のパターンの上にかぶせる（写真5-i)。

④厚紙を全部のせたら、鉄粉が厚紙に広げたボンドで固定されるように、手のひらで厚紙の上から丁寧に撫でつける。

⑤ガラス板から透明フィルムと一緒に厚紙を慎重に取り除く。続いて透明フィルムを端からゆっくりとはがすと、厚紙に鉄粉のパターンが残る（写真5-j)。

（４)厚紙を乾燥させる

鉄粉のパターンをはぎ取った厚紙、つまり記録用紙を平らな場所に置く。15分ほどで木工ボンドが乾燥し、指先で鉄粉に触れることができるようになる（写真5-k)。

以上のようなステップで、厚紙の上に磁石の磁界の模様パターンが保存できる。厚紙を手に持って自由に持ち運びできる。写真やコピーではな

写真5-k

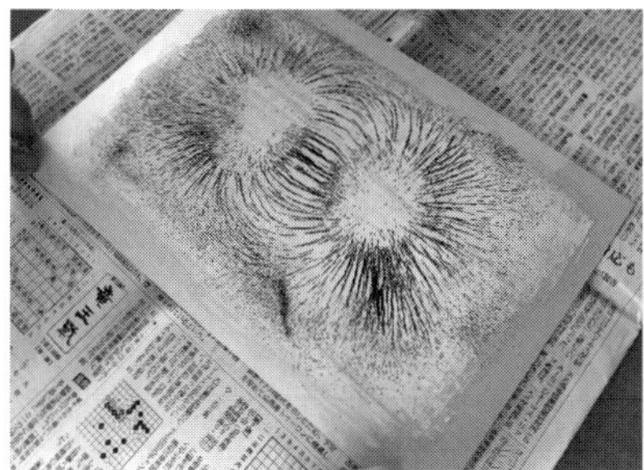

写真5-l

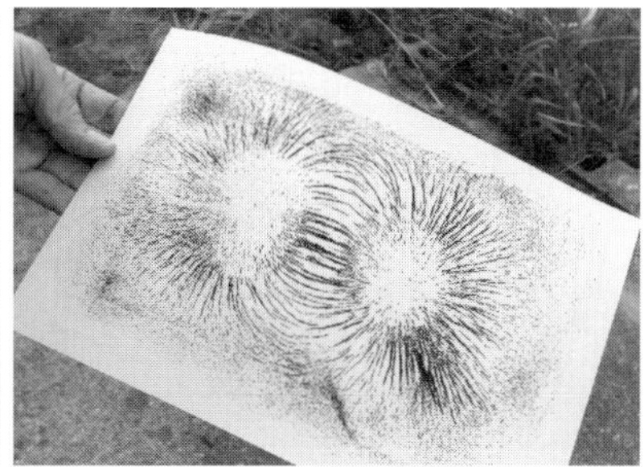

い、実物そのものを記録し、保存した作品になる（写真5-l）。

いったん乾燥した後、木工ボンドが不足している部分があれば、その部分に指先で木工ボンドをのせて、追加の塗布をする。木工ボンドは乾燥すると透明になって鉄粉の保護フィルムになる。

完全に木工ボンドが乾燥したら、厚紙の四辺をカットし、形を整える。それを別の厚紙の台紙に貼ると、103ページの写真8-4に示したように作品事例としてディスプレイできる。

作品のできあがりは、鉄粉の粗さ、磁石の強さ、磁石からの距離、厚紙の品質などに左右される。何回か試して、良好な結果が得られる用紙を選びたい。

このような手作業の活動を経験することが、STEM教育が標榜するモノづくりの基礎になる。理科の実験と図画工作や美術作品の制作活動にも関連している。それだけに失敗しても、楽しみながら何度でも取り組んでみてほしい。

STEM教育にArtsを入れてSTEAMとすべきだとの議論もあると述べた。この事例でわかる通り理科の実験と観察作業にはArtsの要素が含まれることが少なくない。実験の準備、材料の調整、結果を作品化する過程にはArtsの学びが含まれている。

参考９. プロジェクトの参加校向けに配布した機材

Project 1. Hand dynamo

Name	Devices	Numbers	Name	Devices	Numbers
1. Hand dynamo		2 unit	6. LED bulbs warm light		5 pieces
2. Tiny bulb socket with crocodile clips and color wire	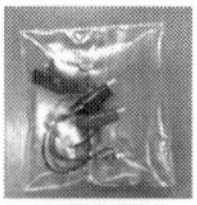	2 pieces	7. Car bulb Box		2 boxes
3. Parallel circuit Box		2 boxes	8. Car bulb 12 V Ordinary filament type		2 pieces
4.Tiny bulbs 6 V		5 pieces	9. Car bulb 12 V LED type		2 pieces
5.Tiny bulbs 12 V	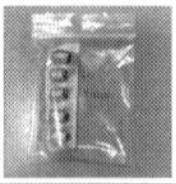	5 pieces			

Name	Devices	Numbers	Name	Devices	Numbers
1.Receptacle screw base E27 socket		1 unit	5.Red & black wire with crocodile clips 60 cm		2 pairs
2.LED Bulb 12 V E27 socket		3 pieces	6.Red & black wire with crocodile clips 40 cm		2 pairs
3.Three series circuit battery box Type D		3 unit	7.Capacitor 5.5 V 1 F	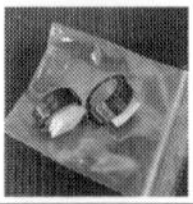	2 pieces
4.Dry cell battery Type D		9 pieces	8. Magnetic Compass	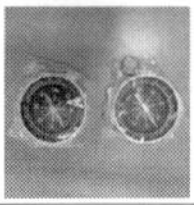	2 pieces

Project 2. Battery and bulb model

Name	Devices	Numbers	Name	Devices	Numbers
1. Solder iron		1 piece	6. Hummer	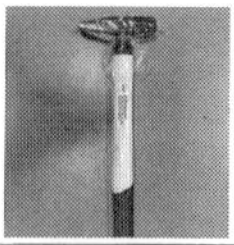	1 piece
2. Solder iron base		1 piece	7. Iron base		1 piece
3. Lead solder		1 piece	8. Battery box (AA)		3 pieces
4. Tiny bulb socket with wires Copper terminal Washa Aluminum rivet		3 sets	9. Battery (Type AA)		6 pieces
5. Tiny bulb 2.5 V		5 pieces	10. Glue		1 piece

Name	Devices	Numbers	Name	Devices	Numbers
1. Steel wool		2 pieces	7. Sand paper		2 pieces
2. Aluminum foil		2 pieces	8. Cutting mat		1 piece
3. Vinyl tape		2 pieces	9. Tea spoon	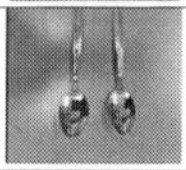	2 pieces
4. Red & black wire with crocodile clips 60 cm		2 pairs	10. Screw driver	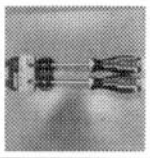	2 pieces
5. Red & black wire with crocodile clips 40 cm		2 pairs	11. Scissors		1 piece
6. Enamel wire	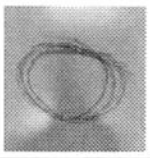	3 pieces			

(Additional item) 12. Battery and bulb model cut out, using cardboard 6 sets

Project 3. Shaking generator

Name	Devices	Numbers	Name	Devices	Numbers
1. Hand Shanking Generator - kit & complete set	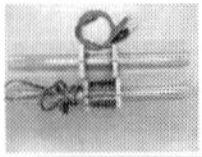	1 set	5. Enamel wire coil 1000 turns		2 pieces
2. Winding Machine		2 sets	6. Alternating Current power supply		1 box
3. Enamel wires		1 piece	7. Galvanometer		1 box
4. Magnet 25 pieces/set		2 sets	8. Magnetic Compass	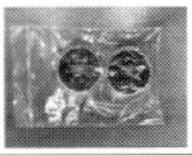	2 pieces

Name	Devices	Numbers	Name	Devices	Numbers
9. LED tiny bulb 5 pieces Tiny bulb socket with crocodile clips and color wire	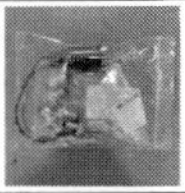	1 set	15. Iron solid bar 25 cm	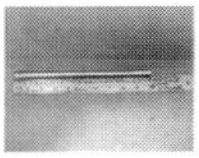	1 piece
10. Glue gun		1 set	16. Wooden pole 30 cm	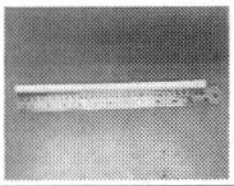	1 piece
11. Iron powder		1 bottle	17. Paper clip		1 box
12. Gauze pads		1 pack	18. C-clamp		2 units
13. Red & black wire with crocodile clips 100 cm		2 pairs	19. Paper 100 Pound Transparency Film A4 size		10 pieces
14. Latex glue		1 bottle	20. Future board A4 size		3 pieces

あとがき

21世紀も５分の１が経過し、比較的穏やかだった教育の世界に、突然二つの新しい波が起こった。

一つは、2000年になる頃から米国で高まってきたSTEM教育の潮流。もう一つは2019年末から世界的に拡大した新型コロナウイルス感染症に伴う、オンラインによるリモート教育の増加である。この二つの波によって、教育に新しい課題が突きつけられた。

私は日本で定年退職をむかえ、直後にスリランカのコロンボで３年、いったん帰国した後にバンコクで２年を過ごした。国内の知り合いからの要請があり、大阪労働協会や私立大学で少し働いた後、タイのアユタヤ地域総合大学ARUに研究室をもらい、日本の冬季はそこで過ごすことにしていた。

それは、コロナ禍が世界規模で広がりパンデミックが起こる2020年の春先まで続いていた。空の便がことごとく欠航になりはじめた同年３月中旬、かろうじて帰国したことは本編でも述べたが、その翌年、2021年６月にタイで旧知のポンパン女史からメールが届いた。

バンコクのUNESCO－SEAMEO（東南アジア文部大臣機構）に開設されているSTEM教育センター代表に就任していた彼女は、タイの先生たち向けにSTEM教育のワークショップを企画し、実施するよう、私に求めてきた。それを受け、バンコクの現地側関係者と10カ月の間、協議を繰り返し、2022年３月に１カ月間、オンラインで「パワーアップ」と名付けたプロジェクトを実施した。本書は、その一部始終をまとめたものである。

大阪に居住していて、コロナ禍で現地に行けない私とバンコク、そしてタイ国内34カ所の学校をオンラインで結び、リモートによるワークショップを実施した。もはや日本国内では教育実践の場を持たない立場となっていた私にとって、まったく新しい挑戦だった。

はじめはテレビの料理番組に似ていると思った。しかし、予想以上にむずかしいことはすぐにわかった。

大阪にいる私がカメラに向かって英語で話し、それをバンコクにいるプリン博士（チュラロンコン大学、物理学）がタイ語に翻訳して、タイの広い国土に散在する34カ所の学校の先生たちに伝える。参加した73人の先生たちは、はじめて目にするような機材を前に、その一つひとつを自分の手で操作し、実験する。これは容易なことではない。なにしろ扱う題材が、先生たちが苦手としている電気の基礎実験なのである。それだけでも大変なのに、オンラインであればなおさらだった。

STEM教育は、米国を皮切りに世界中に広がっていき、その内容については、多種多様の議論が成されてきた。

教育の議論は一般論が多く、各論・具体論は少ない。

教育にかぎらず、一般論が受け入れられやすく、具体論が受け入れられにくいのは、話題を受ける人それぞれの好みや、得意・不得意があるからである。すべての人が具体論を受け入れるとはかぎらないため、もっぱら一般論が広がる。

STEM教育も、その議論の典型である。STEM教育自体は話題になることが多くなってきたが、何を題材に、いかに取り組むか、つまり“What?”と“How?”については、いまだに十分に応えられる議論は少ない。本書で、その一つの有力な具体例を提供したいと思った。

STEM教育の一般論は、たとえば政府や中央機関の政策方針である。それが漠然としていても、子どもたちを前にしている先生たちに、広く一般受けすれば、それでもよい。ただしこれは、政治家の思いつきであることも少なくない。

それに対して具体論は、現実の教室の教育活動を述べる必要がある。それは事前に十二分な蓄積や経験がなくては語れない。当然ながらSTEM教育は、科学技術を話題にする。失敗も含めて豊富な実験経験の蓄積に裏打ちされているべきで、思いつきの行き当たりばったりの取り組みを扱うことはできない。多くの人たちがSTEM教育の必要性を主張しても、具体的な取り組みがいま一つ進まないのはそのためである。

2020年になる頃から、STEM（科学、技術、工学、数学）教育は、Artsを加えてSTEAMとされることが多くなった。広がりと多様性を育てるのは結構なことである。

しかし、STEM教育の基本は、モノを作る、実験し観察する、それを通じて推論し、発展的な取り組みをすることにある。それらの経過をレポートやポートフォリオにしてプレゼンテーションする。このプロセスには、既にモノを創造するArtsの活動が含まれているのだ。ものごとはシンプルなことが望ましいので、わざわざArtsを加えてSTEAMとするまでもないと思う。

Artsの分野は極めて広く、筆者一人で扱うのは無理である。そのため「パワーアップ」プロジェクトでは、電気と磁気の科学史への広がりに触れること、そして大型乾電池模型のデザインをすることなどにとどめている。時間と興味・関心があれば、それらをもとに面白い展開ができるはずである。そこは題材として扱う一人ひとりの先生の力量と判断、そして子どもたちの自由な発想にまかせたい。それこそSTEM教育の真髄とも言える。

ただ、ここで気になることがある。STEM教育への取り組みを積極的に行うあまり、それぞれの学校の取り組みがSTEM教育一辺倒になるような傾向が見られることである。生半可な思いつきの取り組みは、素朴で純粋な善意から始まる。それが、かえってそれまでの学校教育の良さを阻害しかねない。従来、多くの教育革新の掛け声にもあったことだが、STEM教育が一時期の流行現象になってしまわないか、それが気がかりだ。

STEM教育は、教科目で言えば理科、技術・家庭科、算数・数学であり、それらが新時代に適した革新的な取り組みをすることが出発点である。まずは、これらの科目の学習題材を見直す必要がある。本書が電気と磁気の基礎レベルの実験や器具の制作活動に絞っているのはそのためである。

これまでの教育は、先生たちが既に十分に学び経験してきている題材を扱ってきた。それが教育の前提だった。それに対してSTEM教育は、科学・技術・工学・数学の今日的な話題につながる題材を扱う。

本書の内容でいえば、スマホの利用やICカードでの自動改札システム、非接触給電による代金支払いなどである。これらの話題は、それまで先生たちも経験していなかった現代的な題材となる。

そのため先生たちみずからも経験し、子どもたちとともに学ぶという展開になる。このユニークな点こそSTEM教育の基本である。本書では、まずは先生たちがSTEM教育のために「何を（What)、いかに（How)」取り組めばいいか、その事例を示したかった。

教師になる人は、みずからが学校教育を受けるプロセスで特別な苦労をしないできた人が多い。苦手な科目はあったかもしれないが、それを克服し、おおむね「よくできる子ども」で育ってきた。たいていは「できない子ども」の経験がない。

そんな先生たちの多くに共通するのは、「何か得意な科目や題材がありますか？」と訊いてみると、「たいてい何でも得意です」と答える。どの科目も万遍なく教えることができる、というのだ。これは逆に言えば、「特別に得意なものは持っていない」ということでもある。

これまでは、それで良い先生だったかもしれない。しかし、STEM教育を実践するには、思い切った自己革新が必要になる。

得意な題材を持っていれば、びっくりするほどの興奮や深く学ぶことの楽しさを経験しているはずである。たとえば、科学の実験をする時の緊張感や、ワクワクする興奮は、STEM教育に不可欠なのだ。

ユネスコのSEAMEOに開設されたSTEM教育センターが、アセアン10カ国の先生たちを対象にしたワークショップを企画し実施するのは、この革新的な状況を作り出すための挑戦である。

先生たち自身が、安全に楽しく、ワクワクしながら科学技術の本質に関わる経験をすることが、子どもたちを未来のイノベータに育てる根幹となっていく。

この立場から、本書は先生たちが最も苦手で困難と感じている電気と磁気の実験を題材にしているが、測定器を使うような定量的な実験は扱っていない。定性的な実験ばかりである。身近にある材料を使い、自分でモノを作って基礎レベルの実験・観察を楽しむことに重点を置いている。取り扱いが面倒な測定器を使うのは、その後の段階である。

主な題材としたのは「手まわし発電機」と「手振り発電パイプ」。この２つは理科機材会社の数社で類似の製品を販売している。品質が保証されるかわりに、当然それなりの価格もする。

「パワーアップ」プロジェクトでは、手まわし発電機はバンコクのIPST研究所で制作したT-Gemを使っている。もちろん日本では、各社の手まわし発電機（ゼネコン）を使うことができる。

そしてもう１つの「手振り発電パイプ」。これは自分で作る。そのためには、エナメル線を1000回もコイル巻きする必要があり、そこで登場するのが「巻線機ジョイ」である。私が現地に提供した器具のうちで、この木製の巻線機こそ、最も決め手となる道具だった。

一人ひとりが自分の手で巻線機を組み立て、エナメル線を巻きつける。「巻線機ジョイ」は、ちょうどハンバーグを手作りする時などに重宝するフードチョッパーのように、はじめてでもハミングしながら楽々と扱える。鼻唄まじりで1000回巻きのコイルを作って、実験が楽しめる。シンプルで材料費もほとんどかからない。国内の理科機材メーカーも太刀打ちできないと自負している。

十分な財源があれば、既製品を購入して使うのは当然である。しかし、実験機材を手作りして、子どもたちとともに楽しむことは、STEM教育の基礎レベルの科学と技術を学ぶ真骨頂である。

得意な題材を獲得することは料理に似ている。必要な食材をチェックし、場合によっては、みずから野菜を栽培したり、魚を釣ったりして食材を入手する。事前に下ごしらえをして調理器具を点検し、調味料を吟味する。そして火加減を調整しながら、味見をしつつ作っていく。できあがったら試食をして、材料や手順を改めて見直す。いくつかの失敗も含めて、その経験の蓄積が得意料理につながる。そして教える喜びと学ぶ楽しさが経験できる。

その意味では「パワーアップ」プロジェクトは、速習のクイック・レッスンである。これを契機にして、先生たちがそれぞれ得意な題材を獲得できることを期待したい。

米国でSTEM教育の必要性が議論される以前、つまり30年も前に、先生たちの使命は「教えること」から、「学ぶこと」に変わっている。教育分野の著作が多く碩学（せきがく）の一人である佐藤学東京大学名誉教授は、これからの教師はスキルを身につけた職人（クラフトマン）でなくてはならないと指摘している。

問題は、その一歩手前で、いかにして、何のスキルを身につけるかである。本書が具体的な事例となることを願っている。

80歳を超えて本書を世に出すことができたことは大きな喜びである。

本書は21世紀を生きる若い先生や教育関係者、子どもや保護者の方たちへのメッセージであり、私のこれまでの活動の集大成でもある。それだけに、長い年月、多くの人たちに支えられてきたことに心から感謝している。「パワーアップ」プロジェクトの参加校の先生たち、そして関係者はじめ、冒頭の謝辞に多数の方のお名前があるのは、そのためである。また、巻末に年譜を付したのは、この本の背景を記しておきたかったためで、この本を手にしてくださる方々に了としていただけることをお願いしたい。

なお、ここに紹介した題材を使って、ワークショップ、イベント、研究会などの計画をされる方は、お気軽に巻末のメールアドレスにお問い合わせいただければ幸いである。

本書を刊行するにあたり、株式会社PHPエディターズ・グループの小室彩里さんには、一方ならぬお世話になった。特に数多い図版と写真の処理、そして筆者のわがままを検討し細やかな配慮をしていただいた。とても厄介で面倒な作業だったと思うだけに、彼女と同社のみなさんに感謝したい。

2023年３月

大隅紀和

年譜

1940（S15）	京都市下京区に生まれる。立命館大学・理工学部電気工学科、および大阪市立大学・文学部心理学専攻卒業。大阪府立和泉工業高校教諭などを経て——
1967（S42）	４月、京都市教育委員会、京都市青少年科学センター建設準備室、室員
1969（S44）	５月、京都市青少年科学センター開館、指導課所員
1971（S46）	４月～５月、米国、コンピュータ教育および科学教育計画の現地調査（東芝教育研究会TETAによる）
1972（S47）	９月～10月、米国、現地側でエジソン財団のアレンジによる科学教育革新計画の現地調査（原子力平和利用基金などによる）
1973（S48）	９月、国立教育研究所・科学教育研究センター・教材教具開発室研究員、後に主任研究官、室長
1976（S51）	９月～77年２月、在外公館等勤務予定者研修受講、外務省研修所。外務事務官
1977（S52）	３月～５月、文部省在外研究員。米国と欧州各国で科学教育の現地調査 11月、マレーシアでユネスコの国際会議。帰路バンコクのユネスコROEAPで報告書作成作業
1978（S53）	11月、ユネスコROEAP主催、ネパールCERIDでユネスコの国際会議。帰路ニューデリー NCERT滞在
1979（S54）	12月、ネパールCERIDでユネスコ主催の１カ月間の国内ワークショップ指導。カトマンズとシャンボチェのエベレスト・ビュー・ホテルで植村直己さんと２度も出会う
1980（S55）	12月末～ 81年１月、フィリピン大学UPSECでICASEシンポジウム出席
1981（S56）	２月、日本科学教育学会派遣で、ネパールに教育調査（３度目） ３月、JICA短期専門家、マレーシア教育省・教材開発局EMS（９月まで）。この間に、ペナンのユネスコSEAMEO-RECSAMで科学教育ワークショップ指導 ６月、シンガポールSSCでICASEシンポジウム出席
1982（S57）	12月、放送文化基金のマレーシア調査
1983（S58）	１月、タイIPST研究所のトンチャイ、ナンティア、イエンチャイ、プルムアン来日 ３月～４月、タイIPSTでユネスコ主催物理教育ワークショップ指導。往路UPSEC立ち寄り ６月～８月、バングラディシュにユネスコ派遣専門家。ADBの現地事業調査 英国人デニス・チーズマンとシース、インド人アティン・ボース、日本人大隅の４人チームの派遣 12月～ 84年１月、インド、ニューデリー NCERTにユネスコ派遣専門家。国内ワークショップ指導。IPSTのトンチャイと共同作業
1984（S59）	３月、米国、日本の高校生４人を引率して西海岸地域の原子力平和利用教育の調査（原子力平和利用基金による） ７月、外務省ミッション。海外における教育協力事業、タイ、マレーシア、シンガポール調査。文化無償協力事業の現地評価活動

1985（S60）	3月、JICA短期派遣、トルコ人口家族計画事前調査 4月、鳴門教育大学助教授。翌年3月まで国立教育研究所客員研究員 8月、タイIPSTに黒板計画の調査 12月、タイJICA短期派遣。マヒドン大学PHC国立センター4地域センター計画の調査
1986（S61）	1月、台湾師範大学NTNU招請、科学教育セミナー参加 3月、ユネスコ派遣専門家。スリランカのカリキュラム開発センター、ワークショップ指導 11月～87年2月の間、椎間板ヘルニア摘出手術、入院。1988年3月、インドネシア行きから海外教育協力を再開
1988（S63）	3月、インドネシアに教育協力活動の可能性調査 11月、国立教育研究所の海外学術調査チームでタイIPST、ネパールCERID調査
1989（H1）	3月～4月、インドネシア、パキスタン（カラチ、イスラマバード）、ネパールで科学教育セミナー実施 12月、米国、世界銀行本部（ワシントンD.C.）で途上国教育協力セミナーの実施。ニュージャージー州立ラトガース大学訪問
1990（H2）	6月、台湾師範大学NTNUの招請、日台・合同科学教育セミナー参加 8月～91年8月。JICA長期派遣専門家。インドネシア教育省・高等教育総局アドバイザー。ジャラン・アイルランガ21に居住
1991（H3）	8月、ジャカルタからフィリピン大学ISMEDなど調査して帰国
1992（H4）	7月、ジャカルタ、マニラでBSSP機材贈呈と演示活動
1993（H5）	9月、フィリピン理数科教育プロジェクト事前調査
1994（H6）	3月、フィリピン理数科教育プロジェクト実施協議調査団、団長。これ以降、フィリピン大学デリマン校の理数科教育センターで、1999年2月まで5度、JICAによる短期・中期の教育協力・調査活動 4月、ジャカルタおよびIKIPバンドンの調査 6月、台湾師範大学NTNUの招請、日台・合同科学教育セミナー参加 7月、大阪大学から学位、博士（人間科学）第10881号取得
1995（H7）	1月、阪神・淡路大震災 3月、ユネスコの専門家派遣。プノンペンにIPSTトンチャイ、ROEAPルシール・グレゴリオ女史と理科教師ワークショップ指導 4月、京都教育大学に転出 9月、クアラルンプールでFASID（国際開発高等教育機構）PCMセミナー参加 11月、JICA調査団。インドネシアでアセアン教育基礎調査
1996（H8）	7月、日本学術振興会JSPSのフィリピン科学技術庁DOSTの学術調査 12月、タイ、バンコクIPSTの国際物理教育学会出席
1997（H9）	5月、タイ、バンコクで教育コンピュータ国際会議に出席。帰路ソウルで科学教育国際会議 7月、ハワイ大学ヒロ校、第2回地球科学教育国際会議に出席 9月～10月、ケニアのナイロビ、英国でロンドン、エジンバラ大学アフリカ研究所滞在。文部省短期在外研究員調査 帰路ロンドン英国JICA事務所の要請で当時の英国政府国際開発庁DFIDでアフリカ地域教育専門家テリー・オルソップ氏を訪問、意見交換

	10月、台湾師範大学NTNUおよび国立高尾師範大学で共同科学教育セミナー出席
1998（H10）	3月、ハワイ大学マノア校、e-スクールの実情調査 7月、日本学術振興会JSPSによるフィリピン科学技術庁への学術調査 8月、日本情報教育学会、㈶松下視聴覚教育研究財団共催によるハワイのe-スクールのワークショップを東京と京都で開催を主催
1999（H11）	6月、南アフリカ共和国、ダーバンでIOSTE第9回国際会議出席 7月、ハワイ大学マノア校、日米教師教育コンソーシアムJUSTEC11回大会出席 11月、フィリピン大学ISMED共催の科学教育国際会議出席
2000（H12）	1月、シドニーのニューサウスウェールズ大学、GioSciEd-III（地球環境教育）第3回国際会議。帰路ニュージーランド滞在、オークランド～ウェリントン間の環境教育調査活動 2月、フィリピン教育大学に学術交流協定の調査活動 3月、広島大学術調査科研で、インドネシアのバンドン大学JICAプロジェクト調査 3月～4月、文部省国際研究集会派遣。マレーシアのペナンUSMで科学技術教育ISOTE東南アジア国際会議 8月、アムステルダム経由、ケニアのナイロビ、タンザニアのダルエスサラームとイリンガ現地調査 タンザニアからキリマンジャロ山麓経由ナイロビまで四駆車で2000㎞走破 9月、米国、オハイオ州マイラン村（エジソン生誕の地）への訪問 ニュージャージー州立ラトガース大学（エジソン・プロジェクト）調査 12月、バンコクでUNESCO-APEID国際会議
2001（H13）	1月、フィリピン教育大学PNU主催、教師教育国際会議 1月～3月、JICA短期専門家。ネパール国立教育開発センターNCEDで協力活動 8月、米国ワシントン州ピュージェット・サウンド大学、日米教師教育コンソーシアムJUSTEC2001出席。現地滞在中、偶然にもカムカム英語平川唯一先生のお嬢さん、メリー大野さんに会う 8月と9月、文部省科研でネパールNCEDとタイIPSTに2度の学術調査 12月～02年1月、タイIPST研究所、ネパールのトリブバン大学に学術調査活動
2002（H14）	2月、科研でバンコク、IPSTおよびシーナカリンウィロート大学SWU学術調査と講義実施 3月、上海師範大学で集中講義実施 4月～5月、バンコクIPSTで教師向け理科教育ワークショップ実施 7月、科研で上海師範大学に学術調査 8月～9月、JICA短期専門家。ネパール国立教育開発センターNCEDでワークショップ指導 10月、タイIPST、スリランカ国立教育研究所NIE、フィリピン大理数科教育プロジェクトのフォローアップ活動 12月～03年1月、タイIPSTおよびマヒドン高校SHHの調査

2003（H15）	3月、京都教育大学定年退官。同大学名誉教授 4月から2006年3月まで3年間、JICA長期専門家。スリランカ国立教育研究所NIE所長顧問。クレスキャットに居住 11月、上海師範大学数理情報学院客員教授。上海でユネスコ国際会議出席
2004（H16）	5月～6月の間、バンコクIPSTでカウンターパート8名研修の指導活動 11月、JICA一時帰国。上海師範大学で集中講義 12月、中国広州、Huahai Scientific Instruments Co.訪問 12月～05年1月、一時休暇帰国。バンコクIPST立ち寄り、IPSTブランチ予定地調査
2005（H17）	2月、スリランカ北東部州紛争停止地帯のキリノッチで黒板200学級分の贈呈式
2006（H18）	8月、タイIPSTに実情調査
2007（H19）	3月、JICAシニア海外ボランティアSVでIPST派遣 4月、TICAから赴任先IPSTに着任。所長アシスタント。トンロー・プラス38に居住 9月、IPSTでSケーブルを考案した杉原和男氏（元・京都市青少年科学センター）を招いて現地高校教師向けワークショップを実施 11月、World DETACでIPSTのBSTプロジェクトを紹介
2008（H20）	2月、チエン・ラーイ県に出張。ナット村トー・ジャ・ドー校で授業。タイ王室シリントーン王女の訪問 3月、タイ国第18回全国理科数学教育大会でBSTプロジェクト講演 7月、ファヒンのIPSTブランチで、パイロット校10校を対象にBSTプロジェクトの教師セミナー。タイ王室シリントーン王女の視察あり、全国テレビに放映 10月3日～8日、タイ国IPSTポンチャイ、タパチャイ、ナロン3名来日、フル・アテンドする
2009（H21）	3月末、タイ国IPSTで2年間のJICA－SVを終了して帰国 京都府八幡市松花堂庭園ギャラリーで写真展「世界の子どもたち――教育協力30年」開催。NHKテレビ放映、毎日新聞などに掲載 5月、タイ、チュラロンコン大学元総長、タッチャイご夫妻来訪。OESに滞在 8月、IPSTにフォローアップ活動。ファヒンのIPSTブランチで教員研修実施 9月、前年に続き、鳴門教育大学で留学生向け集中講義「国際教育協力」Studies on International Education Cooperation (for Graduate School Course) 実施 10月、OES研究所で第1回科学教室の実施。その後に連続5回 12月、泉佐野市NPO法人泉佐野地球交流協会理事。2016年4月まで
2010（H22）	5月、タイ、チュラロンコン大学元総長、タッチャイご夫妻、OES研究所に2度目の来訪 6月～12月、大阪労働協会嘱託、YES（Young Engineer Scientist）プロジェクト、チーフ・コーディネータ 8月、「エジソン写真・資料展」――君はエジソンを知っているか？

——京都府八幡市、八幡市立市民センター、構成・プロデュース
9月、日本科学教育学会「国際貢献賞」を受賞
9月～12月、立命館大学産業社会学部で大学生を対象「京都地域の新時代向け科学コミュニケータ養成研修」6回実施

2011（H23）
1月、タイIPSTにフォローアップ活動、チェンラーイ地域総合大学ウォ・ター・ロ大会で講演。続いてタイ、ラオス（ヴィエンチャン、プランパーバン）、カンボジア（初のアンコールワット）、マレーシア（クアラルンプール、キャメロン・ハイランド）冬季滞在先と現地教育調査
3月、東日本大震災、福島第一原発破壊。アジア滞在中
4月、第2回写真展「世界の子どもたち——教育協力の30年」
泉佐野市泉の森ギャラリー。東日本被災地義援金の募集活動
4月～㈱浅海電気、人材開発セミナーAMDESプログラム企画、実施開始。大阪、東京、札幌で2019年まで8年間継続実施
6月～7月、カンボジア、シェムリアップからモーガン三恵子母子滞在
7月～、泉佐野生涯学習センター、「泉佐野・親子でレッツ・サイエンス」を実施。続いて藤井寺・四天王寺学園、クレオ大阪東などで実施

2012（H24）
1月、タイIPSTにフォローアップ活動
カンボジア（シェムリアップ、2回目）、ベトナム（ホーチミン・シティ、ニャチャン）
4月、甲子園大学の特任教授。2014年3月まで
11月、タイ、アユタヤ地域総合大学ARUからチャヤプレック、クリサナ、チョンコン、ユピン、クロンテップがOES研究所に滞在。2日間ワークショップ実施
12月末～13年1月初旬、タイ、アユタヤARU大学に滞在
バンコクIPSTでポンパン所長に面会

2013（H25）
1月2日、アユタヤARU大学若手教官40名に一日セミナー実施
IPSTとの共同プロジェクトMOU準備
3月、アユタヤARU大学とIPST訪問
8月～9月、アユタヤARU大学とIPST滞在
この後、2020年3月まで、計18回のべ約800日の滞在をする
11月～14年3月、アユタヤ滞在中にビザ延長でシェムリアップ（3度目）往復

2014（H26）
10月～12月、IPST滞在中にタイ石油大手PTT本社訪問
ラヨンのKVISサイエンス・アカデミー開設準備室、トンチャイに面談
11月、STEM教育の会議ISMTEC2014、バンコクのアンバサダー・ホテル
同・会議参加者向けワークショップ実施。その後アユタヤARU大学に戻る

2015（H27）
2月にARUとIPSTのMOU締結。現地中学校教師、小学校教師向けワークショップ実施
3月、コラートのスラナリー工科大学でウォ・ター・ロの22回大会
来訪者向けワークショップの実施
この滞在中にARUがIPSTのSTEM教育プロジェクトに正式参加決まる
8月、ラヨンのKVISサイエンス・アカデミー公式開校式に夫婦で招待される。式典でタイ王室、シリントーン王女と3度目の対面。8月末ま

	での滞在 10月、毎日新聞全国版「ひと」にKVIS講師就任が掲載 11月上旬から１カ月間、KVISで新１年生、18名４クラスの授業担当 カンペンセンのカセサート大学附属学校で現地教師向けワークショップ 日タイのサイエンス・ハイスクールのイベントTJ-SSF2015に招待講演 暮れから新年まで一時帰国
2016（H28）	８月、バンコクの王宮スワン・アンポーンでアユタヤARU大学の名誉博士号（同年４月付）。当時のワチラロンコーン皇太子（現・国王）から授与 ９月、タイSSH高校生チームを京都市立堀川高校と青少年科学センターに案内 11月～12月、アユタヤARU大学滞在。現地小中学校教師向けワークショップ実施 この間、カンペンセンのカセサート大学附属学校で、現地教師向けワークショップ実施
2017（H29）	２月、現地高校の理科教師向けワークショップ。Ｓケーブルの制作と実験の実施 ５月、梅本仁夫がOES研究所のアシスタント（ボランティア）開始 ７月～８月、アユタヤARU大学滞在を再開し、その間に梅本仁夫がアユタヤとバンコクに１週間滞在 シーナカリンウィロート大学附属SWU-PDS校で半日セミナー実施 11月、シーナカリンウィロート大学附属SWU-PDS校。学生向け科学教育、5日間の集中演習授業
2018（H30）	２月、梅本仁夫夫妻、友人伊藤裕宣夫妻とともにアユタヤとバンコクIPSTを訪問 ５月、ネパール、カトマンズ行き。教育協力の可能性の現地調査 ８月、スリランカで３年間の現地活動に使った愛車クルーガがダウン。やむなくトヨタの小型車タンクに乗り換える 平成最後となる2018年大晦日、父親代わりだった兄が逝去。１月３日葬儀
2019（H31） ／（R１）	１月６日、関西空港発しバンコク着。アユタヤARU大学滞在 １月下旬に㈱ナリカの中村久良会長夫妻、ARUとバンコクIPSTを訪問に同行 ３月、現地中学校の先生たち向けワークショップを実施 ５月、㈱ナリカ会長の中村久良夫妻がOES研究所に来訪 ７月～８月、㈱ナリカ社東京本社で同社の現職教師向けサイエンスアカデミーで手振り発電パイプ、巻線機ジョイなどのワークショップ実施 12月上旬にIPSTでナロン氏から新型ハンドダイナモの説明を受ける
2020（R２）	１月中旬～３月中旬、バンコクIPSTレジデンス滞在 新型ハンドダイナモを使う実験シリーズに取り組む ２月、ビザ取得のためシェムリアップ行き。その前後にアユタヤARU大学で現地の教師向け２日間ワークショップを２度実施 ３月11日、帰国の予約便で出国するためIPSTを発し、ドンムアン空港に到着。コロナ禍のため欠航。同・空港に足止め。14日夜行便でスワナプーム空港から台北行き空港で仮眠、乗り換え便で辛うじて出国

	6月、バンコクのUNESCO-SEAMEO（東南アジア文部大臣機構）のSTEM教育センター代表のポンパン女史からメールを受け取る
2021（R3）	6月、UNESCO-SEAMEOのSTEM教育センターの依頼、同センターのシニア・エキスパート委嘱。タイ国内向けSTEM教育ワークショップの実施計画を策定、バンコクのプロジェクト・チームとリモート会議を合計16回実施
2022（R4）	3月、5日間の日程で「パワーアップ」プロジェクトを実施 11月、『未来のイノベータを育てるSTEM教育』を脱稿
2023（R5）	3月、『未来のイノベータを育てるSTEM教育』刊行

参考文献

《12章、英国などへの波及、その後動向などに関連するもの》

・Roehrig, et al. (2022、September) Development of a Framework and Observation Protocol for Integrated STEM, JSSE (日本科学教育学会) 第46回年会論文集 53-56

・野添　生 (2022、Sep.) イギリスにおけるSTEM教育に関する動向調査、日本科学教育学会第46回年会大会論文集、177-178

・遠藤優介 (2022、Sep.) ドイツのMINT教育に関する動向調査、日本科学教育学会第46回年会大会論文集、179-180

・大嶌竜午 (2022、Sep.) シンガポールにおけるSTEMに関する学習評価と教員支援、日本科学教育学会第46回年会大会論文集、181-182

《参考資料、STEM教育の評価について》

・宮内卓也ほか (2022、Sep.) 日本におけるSTEM授業の分析方法と評価プロセス、日本科学教育学会第46回年会大会論文集63-66など

《著者の本書執筆分の関連文献》

・大隅紀和、中野佳昭、前島孝司 (2007) 新時代の実験器具の制作活動――その海外との共同研究開発（日本のアイデアを海外拠点タイ国IPSTで製作している事例）日本科学教育学会研究会研究報告24巻第6号27-32

・大隅紀和 (2016) 海外――特にタイにおける科学実験ワークショップ実践研究(2)（主としてタイで入手できる12VLED電球による実験観察の報告）日本科学教育学会研究会研究報告31巻第7号9-14

・大隅紀和、梅本仁夫 (2021) STEM時代の「手まきコイルを作る巻線機の制作と実験利用」－1（「巻線機」から電磁誘導の実験を見直す）日本科学教育学会研究会研究報告35巻第6号43-46

・梅本仁夫、大隅紀和 (2021) STEM時代の「手まきコイルを作る巻線機の制作と実験利用」－2（手振り発電機の制作と実験）日本科学教育学会研究会研究報告35巻第6号47-50

・大隅紀和、梅本仁夫 (2021) STEM時代の「手まきコイルを作る巻線機の制作と実験利用」－3（手まきコイルの代表的な実験とICカードの模擬モデル実験）日本科学教育学会研究会研究報告35巻第7号43-46

・大隅紀和、梅本仁夫 (2021) STEM時代の「手まきコイルを作る巻線機の制作と実験利用」－4（巻線機のアタッチメントの工夫と手回し発電機の制作）日本科学教育学会研究会研究報告35巻第8号27-30

・大隅紀和、梅本仁夫（2022）タイ国教師向けSTEM教育プログラムの開発と実施－1（UNESCO-SEAMEO-STEM教育センターのオンライン“Power Up”プロジェクトの事例）日本科学教育学会研究会研究報告36巻第５号47-50
・大隅紀和（2022）タイ国教師向けSTEM教育プログラムの開発と実施－2（UNESCO-SEAMEO-STEM教育センターのオンライン“Power Up”プロジェクトの事例）日本科学教育学会研究会研究報告36巻第６号21-24

OES研究所
〒598-0024　大阪府泉佐野市上之郷3053-1
oesoes@maia.eonet.ne.jp

巻線機ジョイや１kgの巻きエナメル線入手などについての問い合わせ先
OES研究所、岸和田工房
〒596-0826　大阪府岸和田市作才町182-3
hitoo-u0811@gaia.eonet.ne.jp

《著者略歴》

大隅紀和（おおすみ・のりかず）

1940年、京都市下京区生まれ。大阪府立和泉工業高校教諭（1963-67年）などを経て、京都市教育委員会、京都市青少年科学センター建設準備室２年の後、同センター指導課所員（1967-73年）。国立教育研究所・科学教育研究センター・教材教具開発室主任研究官、同室長（1973-85年）、外務省事務官併任・同省研修所（1976-77年）、鳴門教育大学・教育方法講座助教授、のち教授（1985-95年）。大阪大学から学位、博士（人間科学）取得（1994年）。京都教育大学・総合教育実践研究センター教授、定年退職のち名誉教授（1995-2003年）。JICA（国際協力機構）専門家でスリランカ国立教育研究所、所長顧問（2003-06年）、JICAシニア海外ボランティアSVでタイ国教育省・科学技術教育振興研究所（2007-09年）、タイ国KVISサイエンス・アカデミー講師（2015-16年）、タイ国立アユタヤ地域総合大学ARU名誉博士（2016年）、ユネスコ・東南アジア文部大臣機構SEAMEO・STEM教育センター、シニア・エキスパート（2021年-）など。現在は、自宅に隣接するOES研究所を開設している

日本科学教育学会・名誉会員

未来のイノベータを育てるSTEM（ステム）教育

子どもたちに明るい未来と豊かな人生を

2023年３月23日　第１版第１刷発行

著　者　大隅紀和

発　行　株式会社ＰＨＰエディターズ・グループ

〒135-0061　東京都江東区豊洲5-6-52

☎03-6204-2931

http://www.peg.co.jp/

印　刷
製　本　シナノ印刷株式会社

Ⓒ Norikazu Osumi 2023 Printed in Japan
ISBN978-4-910739-22-9

※本書の無断複製（コピー・スキャン・デジタル化等）は著作権法で認められた場合を除き、禁じられています。また、本書を代行業者等に依頼してスキャンやデジタル化することは、いかなる場合でも認められておりません。

※落丁・乱丁本の場合は、お取り替えいたします。